FRIEDRICH MAXIMILIAN KLINGER

Die Zwillinge

EIN TRAUERSPIEL
IN FÜNF AUFZÜGEN

MIT EINEM NACHWORT
VON KARL S. GUTHKE

PHILIPP RECLAM JUN. STUTTGART

Der Text folgt: Friedrich Maximilian Klinger: Dramatische Jugendwerke. In drei Bänden herausgegeben von Hans Berendt und Kurt Wolff. Erster Band. Leipzig: *Kurt Wolff*, 1912. Dieser Edition wiederum liegt der Erstdruck zugrunde im ersten Band des von Friedrich Ludwig Schröder herausgegebenen *Hamburgischen Theaters*, Hamburg 1776.

Universal-Bibliothek Nr. 438
Alle Rechte vorbehalten. © 1972 Philipp Reclam jun., Stuttgart
Gesamtherstellung: Reclam, Ditzingen. Printed in Germany 1981
ISBN 3-15-000438-1

Personen:

Guelfo, Vater.
Amalia, Mutter.
Ferdinando, } Söhne.
Guelfo,
Grimaldi.
Gräfinn Kamilla.
Doctor Galbo.
Bediente.

Die Scene ist ein Landgut an der Tiber.

Erster Aufzug.

Erster Auftritt.

(Ein Zimmer.)
Guelfo. Grimaldi.
5 *(An einem Tisch mit Weinflaschen und ein Buch vor sich*
aufgeschlagen.)

G r i m a l d i. Guelfo, Du bist auf einmal wieder sehr
wild ernsthaft geworden. Ich bitt' Dich, verscheuch
diesen starren in sich nagenden Blick mit einigem Lä-
10 cheln, das Deiner grossen Miene mehr Zierde giebt.

G u e l f o. Still und trink! *(geht auf und nieder)*

G r i m a l d i. Soll ich weiter lesen in Brutus Leben?

G u e l f o. Nein, ich habs nun sehr genung. Laß mich
das zusammenrechnen, was ich gehört habe. Caßius,
15 Grimaldi! Caßius!

G r i m a l d i. Du nennst ihn eben so oft, als Du sonst
eine gewisse Donna nanntest. Gilt der mehr bey Dir,
als Brutus?

G u e l f o. Das glaub' ich. Was in dem Menschen lag!
20 Oh! wenn Du mir jeden Tag einen solchen Charakter
aufstelltest, Grimaldi! Du solltest der einzige Mensch
seyn, den ich liebte.

G r i m a l d i. Und ich wär' der einzige Mensch auf
Gottes Boden, der am meisten litte. Ich zieh' mir den
25 Brutus vor.

G u e l f o. Ich fühl' den Caßius näher. Und Grimaldi,
darauf kömmts doch an. Wie viel gewinnt der Mahler,
wenn er mir ein Gemählde hinstellt, wofür ich den
Spiegel in mir habe. Mir gehts in allen Fällen so. Ich
30 kann eigentlich den nur recht durchschauen, ganz meinem Herzen nachfühlen und bestimmen, der am meisten mit mir übereinkömmt; der meine Seele so trift,
daß ich gleich das Reißbley nehmen möchte, ihn lebendig hinzuwerfen. Deßwegen gewinnen bey mir Dichter
35 und Geschichtschreiber so selten. Hu, hagrer Caßius!

Mir ists, als stieg er vor mir auf. Ich werd' diese Nacht
unruhig schlafen.

G r i m a l d i. Ich will Dir mehr lesen.

G u e l f o. Das thu' doch! Den Pyrrhus.

G r i m a l d i. Wenn Du mir nur nicht so bang' mach-   5
test! nicht so oft im ängstlichen Schlummer fürchterlich
träumtest und riefst!

G u e l f o. Wen ruf ich, Grimaldi?

G r i m a l d i. Ferdinando – wie man einen Todtfeind
ruft.   10

G u e l f o. Ha! da! meinen Bruder! Grimaldi, nimm den
Stammbaum, streich seinen Namen durch, und denn
reiß ihn hier weg. Trink dem Caßius zu! Ich wollt'
ihn mahlen, den hagren Caßius!

G r i m a l d i. Das wollt' ich auch.   15

G u e l f o. Du? wenns Juliette wäre.

G r i m a l d i. Guelfo! nur diesen Namen nicht, wenn
Du meine Augen trocken sehen willst.

G u e l f o. Du wolltest den Caßius mahlen? Wie machtest Du das?   20

G r i m a l d i. Ich wollte Ferdinando rufen – den Guelfo
ansehen, fest, ohne Zittern, das einen Furchtsamen,
wie mich, viel kostet; wollte diesen Blick nehmen, diese
Farbe, diese lebenden Muskeln – he, Guelfo?

G u e l f o. Willst Du mich stolz machen? Trink, Gri-   25
maldi! Wacker! *(trinken)* Ich trink zeither gern. Der
Wein ist doch gut?

G r i m a l d i. Sehr gut, wenn Du freundlich siehst.

G u e l f o. O Grimaldi, wenn der Wein nicht wäre!
Ohne ihn hätts das wilde ungestüme meines Herzens   30
lang' mit mir zu Ende gebracht. Ich kanns mit nichts so
gut unter mich bringen, als wenn ich mich nach und
nach in Schlaf trinke. Und Grimaldi, das sind meine
besten Stunden, die vorhergehen; wenn der süsse Geist
des Weins meine Nerven einschmeichelt, sich der milde   35
Geist auf mich herabläßt, und mich mit seinen sanften
balsamischen Fittigen deckt. – Laß ihn sprudeln! Unter
mich, Teufel! *(trinken)*

G r i m a l d i. Es ist ein herrlicher Trunk; aber, Guelfo,
mich macht er düsterer und trauriger. Nu seine Wir-   40
kung in Betracht Deiner?

Guelfo. Recht, Grimaldi. Ja, wenns auch immer so
bey mir ginge. Aber selten, selten! O es hitzt mein
Blut zu oft, und treibt mir die Würggedanken mit
einem Feuer durch die Adern, daß sie schwellen, und
5 mir für mich selbst bange machen. Wenn mir so dieß
und jens unter dem Trinken einfällt, wobey ich denn
gewöhnlich schneller trinke, endigt sichs zu oft mit
einer Wuth, die Blut heischt – Laß nur! wir wollen ihr
schon noch zur Gnüge geben!

10 Grimaldi. Steh' uns Gott bey! wenn Du so bist.
Kaum sinds acht Tage, schmißt Du mich an Boden,
daß meine Gebeine zusammen rasselten. Und das blos,
weil Deine verkehrtstehende Augen einen andern in
mir zu sehen glaubten. Und wenn ich der Schreckscene
15 gedenke –

Guelfo. Was ist das? Eine Schreckscene? Ich hör' gern'
so was.

Grimaldi. Als Du den Della Forza durch die Lunge
schossest, um seine Marter zu verlängern.

20 Guelfo. Sieh' da! das hätt' ich fast vergessen.

Grimaldi. Nu, wer auch das vergißt!

Guelfo. Ich verbitte mir alle Bemerkungen. Erzähl'
mirs, es thut mir gut itzt. Noch so weiß ich, wie er die
Augen drehte, und sich in Staub wälzte. Was hatt' ich
25 doch mit ihm?

Grimaldi. Das erste war, daß er Deinen Bruder bey
dem Herzog herausstrich – – Du wirst zu ernsthaft.

Guelfo. Trink und red' fort, ohne Dich um mein Gesicht zu kümmern.

30 Grimaldi. Daß er Deiner nicht mit einem Worte
dachte, ob Du schon in der Antichamber standest, und
alles hören konntest.

Guelfo. Itzt fällt mirs nach und nach wieder ein. Ha!
das hetzte mich grimmig.

35 Grimaldi. Das zweyte war, daß der Herzog Deinen
Bruder allenthalben zu haben suchte, und, noch mehr,
ihm die reiche und schöne Gräfinn Kamilla verschafte,
die er nie kriegt hätte. Guelfo! Guelfo! faß dich! Kamilla, die der rauhe Guelfo liebte, die der süsse, emp-
40 findsame, kluge Ferdinando wegschnappte. Ein herr-
liches Geschöpf, die Kamilla! Sie soll leben!

G u e l f o. O Grimaldi! Grimaldi! Du thust meinem
Bruder trefliche Dienste. (*drückt ihm die Hand und
umfaßt ihn*) Erzähle weiter!

G r i m a l d i. Nur schone mich mit Deinen Liebkosun-
gen; ich bin zu schwach, in Guelfos starkem Arm zu   5
liegen. Zu Venedig küßte Della Forza Gioconda; Du
verbotst es ihm, er thats doch –

G u e l f o. Begegnete mir höhnisch, und ich knallt' ihn
nieder. Die Geschichte that mir damals sehr gut. Sie
wickelte mir die Galle los, die mich nach und nach er-   10
würgt hätte. Trink, Grimaldi! Deine Augäpfel ziehen
sich ja schon mächtig in die Länge.

G r i m a l d i. Und hier der aufgeworfne Zug an Deinem Munde schwillt grimmig. Deine Augenbrauen
senken sich noch tiefer – Du wirst immer mehr Caßius.   15

G u e l f o. Schwinde immer mehr zusammen, und mein
Bruder reitet auf dem Adler über mich hinaus. Aber
herunterreissen will ich ihn, will ihn im stolzen
Schwung haschen, und niederschmettern! Kriechen soll
er bey der Erde, und ich will schweben! Zittre, Gri-   20
maldi! und ich will Dich packen, dürres Gerippi! Dich
an Boden schmettern! Blaß sollt ihr alle stehen, bricht
Guelfos Zorn los, der mich hinreißt, wie der hohe
Sturm. Weg dann! ich bin nichts, nichts! schlag auf
mein Herz – und nichts! Wenn ich seine Titel hin-   25
schreibe, schmier ich einen Bogen voll. Schreib ich mich
gegen über, heißts – Ritter Guelfo, mit einem Ein-
kommen von 500 Ducaten. Hörst Du, Grimaldi! hier
die grossen Excellenzen, die Gouverneurs, der Herr
von des alten Guelfos fetten Gütern. Nicht so viel   30
Land ist mein, als ich mit meinem Degen übermessen
kann. Und warum denn nur? Grimaldi, warum hab'
ich nichts, und er alles? Suchs in Deinem Gehirn auf,
bleicher Strudelkopf!

G r i m a l d i. (*geht ans Clavier und spielt wechselsweise*   35
einige sanfte und starke Passagen.)

G u e l f o. Dich und Dein Instrument in die Tiber,
Schwärmer! Was willst Du mich locken, daß meine
Seele auf diesen Saiten schwebe? Daß ich den Guelfo
vergesse?   40

G r i m a l d i. (*spielt wie oben*)

Guelfo. Grimaldi! starke, dumpfe, rasche Töne! Meine Nerven zittern einen Ton, Deine Saiten springen, wenn Du ihn anschlägst. Hör' auf! Wirf mich nicht so nieder, Grimaldi!

5 Grimaldi. *(endigt stark)*

Guelfo. Diesen Ton verstund ich.

Grimaldi. Brutus, du schläfst! Brutus, du schläfst! riefen alle, und trafen Brutus Geist, schriebens ein mit Feuerflammen. Caßius rief auch: Brutus, du schläfst!

10 Brutus überdachts bey Donner und Blitz, es reifte, Cäsar lag.

Guelfo. Ha, mein freundlicher Grimaldi? Dieß ist die Erklärung Deiner letzten Töne? Was solls heissen?

Grimaldi. Du verstehst mich, Guelfo! Es soll wenig

15 heissen; so viel, wenn Du doch willst – Guelfo, ich weiß selten, was ich selbst will – Nun dann! Nimms so! Guelfo, schweb' auch! es breite sich Dein starker Geist aus, heb' sich über ihn! Jag mit dem Bruder zum blinkenden Ziel! was kömmt auch drauf an,

20 wenn Du ihm im Ringrennen ein Bein unterstellst, daß Du hoch am Ziel schwebest! That ers doch auch, und oft, oft! Aber nur die Nase muß er sich blutig fallen, Guelfo, mehr nicht; sonst wärs unbrüderlich. Mehr nicht, und Du schwebst oben! Ha, mein Guelfo, Du

25 schwebst, der Wein blinkt! Siehst Du, Guelfo – auf mich wollte einstens ein ungeheuer Berg stürzen, ich hatte noch Stärke und frohen Muth, ich faßte ihn an der Wurzel, schob ihm ein Sandkorn unter. Er stund, drohte, und stund. Ich hatte Glauben, Guelfo! Wenn

30 Du Glauben hättest – oh! mit der schwarzen Melancholie und der traurigen Phantasie, die mich zerarbeitet! Ich schwitze und schrumpfe zusammen – Guelfo! Ritter Guelfo!

Guelfo. Grimaldi, Dein Herz liegt mir über ver-

35 schiedne Punkte verdeckt. Aber herausreissen will ichs, wies in Deinem Innern liegt. Aufgedeckt will ich lesen, ob das blosse Racketten sind, die nur manchmal beym Wein aufsteigen, und zerknallen; oder ob das Festigkeit, Grösse und Entschluß ist? Itzt siehst du wieder

40 so kleinlaut – trink! trink!

Grimaldi. Guelfo, Dir fehlt nichts, als Glauben an

Dich, und Du bist ein gemachter Mann, der alles mit
Gewalt nach sich zieht. Sieh, ich bin ein zusammen-
gedrückter, gewürgter Wurm, der sich kaum aufwen-
den kann, so haben ihn Menschen in Koth gestampft,
wohin er sich wandte. Und das all ist so scharf durch   5
meinen sonst emporschwebenden Geist gefahren, hat
so unedel alle grosse Triebe verschlungen, und das
Feuer verkältet, daß mit mir nichts anzufangen ist.
Oh Guelfo! es war eine blühende Zeit – ich kann itzt
nichts, als mein Herz nach und nach aufreiben, und   10
hassen mich und alles. Für mich ist Natur und Leben
todt, weil man mir den Sinn dafür unfreundlich tödt-
ete. In meinem Leben möcht' ich mich an Einem
rächen, mich dann in meine Kissen hüllen, und mit
Wollust sterben. *(sieht durchs Fenster)* Dort kömmt   15
eine Chaise her!

Guelfo. Es wird der Doctor Galbo seyn, ich ließ ihn
    rufen.

Grimaldi. Hast Du noch nichts entdeckt? – Adieu,
    Ritter Guelfo! Der traurige Mantel der Melancholie   20
    hat sich um mich geschlungen, ich will weinen. Adieu!
    Gib mir Deine Hand! Adieu!

Guelfo. Mensch! Mensch! Du machst mich rasend mit
    Deiner Zweydeutigkeit. Merk Dir das! Wo ich Dich
    erwische, will ichs aus Dir herausziehen, und hingen   25
    die Gedanken mit Hacken in Deiner Seele. Du sagst
    zu viel und zu wenig.

Grimaldi. Ich schlaf die Melancholie weg. Und dann
    ruf ich diese Nacht, wie Caßius – Brutus, du schläfst!
    (geht ins Nebenzimmer)   30

Guelfo. Was hilft das nun all, wenn ich mir mit ge-
    ballter Faust vor die Stirne schlag' und mit den Win-
    den heule – droh' und lerme, und bey alledem nur
    Luftschlösser, Kartenhäuser baue! Der Junge wird ge-
    kos't, geleckt, geliebt, von Vater und Mutter, und ich   35
    steh' allenthalben in der Rechnung ein garstiges Nichts.
    Guelfo! Guelfo! – Nichts lautet närrischer, als wenn
    ich mir selbst rufe. Guelfo! He dann, Guelfo! *(stampft)*
    Mein Blut wird heiß, mein Zorn drängt sich hervor.

Zweyter Auftritt.

Doctor Galbo, (klopft an). Guelfo, (hernach) Grimaldi.

G u e l f o. Näher! Näher!

G a l b o. Wie befinden sich Eure Gnaden? Ich bin sehr
5 erschrocken über die eilige Botschaft.

G u e l f o. Zu viel Hitze, lieber Doctor! Zu viel Hitze!

G a l b o. *(fühlt den Puls)* Unruhig, unruhig, sehr unruhig, gnädiger Herr! Aber ists Wunder? Hier die
Flaschen, und gewiß erst von der Jagd?

10 G u e l f o. Davon mags kommen; ich verfolgte ein Reh
zu hastig. Setzen Sie sich doch. Ich hab letzthin über
etwas mit Ihnen gesprochen – Wär mir nicht zu Küh-
lung zu helfen?

G a l b o. Ich will gleich etwas aufschreiben.

15 G u e l f o. Gut denn!

G a l b o. *(schreibts und giebts ihm)*

G u e l f o. Doctor, hier – nehmen Sie diesen Wechsel.

G a l b o. Gnädiger Herr!

G u e l f o. Ohne Umstände! – Donner! was zaudern
20 Sie? Sie wissen, daß ich das Gezier nicht leiden kann.
Umsonst geb' ich nichts!

G a l b o. Sanfter, gnädiger Herr! So legt sich die Hitze
nicht.

G u e l f o. Lassen Sie mich mit dem Geschwätz! – Doc-
25 tor!

G a l b o. Was befehlen Sie?

G u e l f o. Ich fragte Sie schon einigemal, und nun – Sie
waren bey der Niederkunft meiner Mutter; nicht
wahr?

30 G a l b o. Das war ich – die schrecklichste! Ich glaubte
nicht, daß es die gnädige Gräfinn überleben würde.

G u e l f o. Denn sagen Sie mir schnell – hören Sie? so
schnell, wie ich frage – wer von uns beyden erblickte
zuerst das Licht? Guelfo oder Ferdinando?

35 G a l b o. Das kann ich nicht sagen.

G u e l f o. Doctor!

G a l b o. Es ging so ängstlich, so schrecklich, und in der
Sorge für die Gräfinn, für die Kleinen, trug sichs zu –

G u e l f o. Heraus mit, oder ich pack Sie an der Brust,
40 und drück' Ihnen das letzte Wort mit dem letzten

Hauch heraus! He dann, bey meinem Leben! es wird
Licht – Fort!

G a l b o. Sie waren beyde da, und man wußte nicht,
welches der Erstgeborne war. Aber aus sichern Zeichen – 5

G u e l f o. Behalten Sie den Wechsel, und gehn Sie!
Fort, Doctor! Weiter brauch ich nichts. Und wenn Sie
vor der Hand ein Wort – verstehn Sie mich?

G a l b o. *(ab.)*

G u e l f o. Grimaldi! Grimaldi! – Ha! was schüttelst 10
du, Feuer? was reißt du in mir? Haben sie? Still! still!
Laß mich zu mir kommen, und treib mich zur Raserey!
Grimaldi! o ich will alles zerreissen! Vater! Vater!
Mutter! ich will euch ausstreichen! will euch ausstreichen, euch bis aufs letzte Fäserchen aus dem Herzen 15
reissen! Grimaldi!

G r i m a l d i. *(kömmt.)*

G u e l f o. *(faßt ihn an der Brust)* Sieh mich an, Gri-
maldi! Sieh mich an, und häng an meiner Stirne!
Zweifelst Du, ob ich der Erstgeborne bin? Zweifelst 20
Du?

G r i m a l d i. Guelfo, ich hab' alles gehört; mich warf
ein dumpfes Gefühl herum, daß ich nicht schlafen
konnte. Donner und Wetter! steh da, Guelfo! *(führt
ihn an den Spiegel)* Dieser Blick! dieses Wesen! diese 25
sich ausbreitende Menschenbeugende Gluth im schwarzen, grossen, rollenden Auge! – Guelfo! Du bist für
ein Königreich geboren. Eine weissagende Gottheit,
mein Genius sagt mirs. Guelfo! Du bist Ferdinandos
Bruder nicht. Ha! Wie kamst Du unter das Geschlecht 30
dieser Schwachen? Du bist vertauscht! O Du bist so
nicht geboren! Sieh Dich an, königlicher Guelfo! Hast
Du nicht den verzehrenden Königsblick? Schlag mir
vor die Stirne, wenn ich lüge! Mit diesen Empfindungen, mit diesem Denken, wie kamst Du unter sie? Sieh 35
Dein Bild! Sieh Dich! Edler! Edler! Guelfo! Guelfo!
Guelfo!

G u e l f o. Grimaldi, mich reißt ein Gedanke hin – meine
Seele schwirrt blutig von Vorsatz zu Vorsatz; und der
Rachgeist läßt sich schwarz vor mir nieder, und hascht 40
mein Herz. Ha! laß mich fest stehen! Laß mich einig

'erden! Hörtest Du den Doctor? Man wußte nicht,
welcher es wäre, weil man nicht wissen wollte! weil
seine heuchlerische, sanfte Miene schon damals der
Aeltern Herz an sich bannte! Mein starrer Blick riß
5 schon damals ihr Herz von mir. Ha dann, Heuchler!
ich will dich lehren! Herausgeben sollst du mir die
Erstgeburt, herausgeben sollst du mir Vater und Mutter, herausgeben sollst du mir alles; oder ich will dich
würgen, wie Kain, und verflucht, den Mord auf der
10 Stirne, herumirren.
G r i m a l d i. Lieber Guelfo, nicht so!
G u e l f o. Mit mir Esaus Geschichte zu spielen, noch eh'
er stammeln konnte! Kos't den Knaben! kos't ihn fort!
schließt ihn in die zärtlichen Arme! Herausreissen will
15 ich ihn! Ihr stahlt mir alles, und gabt's ihm, weil ihr
meinen Geist nicht fassen konntet. Grimaldi, als
Knabe ward ich in Schatten gestellt, und er ans Licht
gezogen; ihm alles doppelt gegeben, mir einfach. Fein
ging man mit Heuchler Jacob um, und stieß den
20 rauhen Esau weg. Wie denn? warum denn?
G r i m a l d i. Was drängt sich auf in Dir?
G u e l f o. Tausend Bilder des Vergangnen. Wie er alles
hatte! Kriegten wir Spielzeug, Zuckerbrodt, das Beste
hatt' er. Und so mit allen Dingen, wie wir heran wuch-
25 sen. Um ein junges neapolitanisches Hengstchen flehte
ich einstens, lag zu des alten Guelfos Füssen und netzte
sie. Nichts! Ferdinando hatt' es, ob er sich schon nicht
im Sattel halten konnte, und blutig zurückkam. Da
wollt' er mirs geben; aber nieder stieß ich den flüchti-
30 gen Springer im Grimm. Da kreuzigten sie sich. Und
nun dann, Grimaldi! alle Güter, alle Besitzthümer
ihm! mir 500 Ducaten Apanage — das all, weil man
nicht wußte, nicht wissen wollte —
G r i m a l d i. Du bist des alten Guelfos Sohn nicht. Du
35 bist ausser dem Bette gezeugt. Hat er einen Zug, ein
Fäserchen am Leibe, wie Du? Guelfo!
G u e l f o. Nun denn, heraus will ichs haben! Hörst
Du's brüllen? Heraus will ichs haben! Ich will meine
Mutter in die Enge treiben, und bekennen soll sie! Ha!
40 wie sie mich ausstiessen, auf Reisen jagten, er mir mittlerweile diebisch des Vaters Gunst, Herz und Güter

stahl! Grimaldi, diese Nacht will ich wachen, alle Umstände zusammen ziehen, will alles deutlich sehen! Es
ist hell, wie die Wahrheit. Aber reitzen will ich meine
Galle, mein Blut jagen, will sie alle hassen lernen! O
wie mir alles glühend einfällt, daß sies immer vorhat-   5
ten! Dieser Umstand und dieser – ich wills zusammen-
ziehen, und der Auswurf soll blutig ausfallen! Guelfos
Erster ich! Hörst Du, wie die Wahrheit aus dem Echo
zingelt: Guelfos Erster Du! – Grimaldi, wie wärs
möglich? Sag' nur! red' nur!   10

G r i m a l d i. Was weiß ich von! Mich ärgert nichts, als
daß Dir mitgespielt ist.

G u e l f o. Martre mich nicht! Ich sehs, wies aus Deinem
bleichen Gesicht, aus Deinen stieren Augen heraus-
blickt. Haß'st Du ihn nicht? und möchtst ihn haben,   15
hinzuschleudern das Leben Deines Mörders?

G r i m a l d i. Guelfo! es kann mich einer beleidigt
haben, ich kanns ihm vergeben haben. Noch einmal,
was mich ärgert, ist, daß Du zur Eiche aufgewachsen
warst, nun da stehst, ein kleines dürres Bäumchen am   20
Wege, für das der Bettler eben so wenig Ehrfurcht hat,
als der Grosse, Dich anstößt, und jeder sich ein Spröß-
chen abbricht, daß Du kahl da stehest. Du allein hättst
Dein Haus in vorige Aufnahme gebracht durch Deine
Tapferkeit. Und wie viel würde gefehlt haben, wenn   25
Du Kamilla geheyrathet hättest, Du hättest Dich mit
Deinen und ihren Gütern zum Herzog aufgeschwun-
gen; dann brav gearbeitet – Guelfo! ein Mensch mit
diesem Sinn, mit dieser Festigkeit, mit dieser nieder-
werfenden Gewalt – Ich möchte rasend werden! Der   30
Welt einen Mann zu stehlen, an dem sie sich geweidet
hätte, wie an einer neuen Erscheinung! Ich muß auf-
hören; mich faßt eine üble Laune, und ich möchte Dir
rathen, möchte – was will das auch! – Mich friert's,
und 's läuft mir kalt durch die Adern. Ich fürchte   35
krank zu werden über mein Elend und diese Nach-
richt. Guelfo! daß wir so hingestreckt sind! – Laß mich
los! ich rede nichts mehr.

G u e l f o. Und was brauch' ich denn alles das? Fühl'
ich mich nicht, und weiß, wozu ich geschaffen bin?   40
und weiß, wie man sich an mir versündigt hat? Gri-

maldi, ich würde mich selbst niederstossen, augenblicks,
wenn mir das nicht grimmig zubliese. Was denn? Mein
Vater? meine Mutter? Sind sies? Laß das nur, und
spar Dein wenig Othen, daß Du fortlebst; ich wills
5 schon drehen.

G r i m a l d i. Nu meintwegen! Wers gut treibt, der hats
gut! sagte mein Vater, und schickte mich mit 100 Ducaten in die Welt. Und weit wär ich mit kommen –
Guelfo, wenn Du einmal kalt bist, will ich Dirs er-
10 zählen.

G u e l f o. Geh nur, ich brauchs nicht. Wenn Du mir
begegnest, laß das die Losung seyn: Guelfo, du
schläfst! Diese Nacht will ich viel mit Dir reden.

G r i m a l d i. Ein Wort noch! Nimm alles zusammen!
15 sieh Dich an! sieh Dich an, Guelfo, ob Du sein Sohn
bist? Halts zusammen, ob ihr Zwillinge seyd? Mir ist
vieles dunkel noch bey der Geschichte, und ich bin so
wenig aufgelegt, klar zu sehen – Der Tod hat sich
längst um meine Gebeine gehängt; loßreissen werd'
20 ich ihn dießmal nicht. Und finstres Denken, mein be-
leidigtes zerstoßnes Herz – Dieser Blick ist gut, Guelfo! Fahr fort! Bey alledem möcht' ich Ferdinando kein
Haar krümmen. Verfahr gut, habs gut! Ich wollte, die
Nacht und alle Nächte wären um.

25 G u e l f o. Was ich worden wär! was ich worden wär!
Guelfo, wie hat man schon bey deiner Geburt gearbeitet, dich zu ersticken! Und wenn ich mich anseh, an-
fühl, mein Muth hervor bricht – Fieberhafter Grimaldi, Du streichelst die Tropfen von der Stirn, und
30 mißt mich mit den Augen – staunst, wunderst Dich,
ziehst die Augenbraunen –

G r i m a l d i. Einen grossen Menschen in einem kleinen
zu sehn. – Man kömmt! Guelfo! *(ab)*

Dritter Auftritt.

35   *Amalia. Guelfo.*

A m a l i a. Guelfo! mein Sohn!
G u e l f o. Mutter, Dein Sohn?
A m a l i a. Bist Du krank, mein Guelfo?

G u e l f o. Nein! nicht!

A m a l i a. Ich hörte, Du hättest den Doctor kommen
lassen, und lief ängstlich nach Dir. Was ist Dir?

G u e l f o. Nichts! Nichts!

A m a l i a. Wie, mein Sohn? Deiner Mutter keinen Lie-   5
besblick?

G u e l f o. Ha, meine Mutter! Mutter! Mutter und
meine Mutter! Ich hab der Liebesblicke keinen. Kennen Sie den Guelfo? – Oh! ich bitte, mit all' dem
Kosen und Streicheln lassen Sie mich! Meine Wangen   10
sind der milden sanften Hand der Mutter ungewohnt.

A m a l i a. So sollst Du diesen Kuß haben! Sollst ihn
aufgedrungen haben von der Mutter Lippen, mein
wilder Sohn Guelfo! Wehr dich nicht, Guelfo! und
diesen, und diesen, mit all' der Liebe der Mutter!   15

G u e l f o. Wie, Mutter? Sie irren sich. Meine Lippen
sind nicht sanft, meine Stimme klingt nicht süß, ich
bin nicht weise, bin der rauhe Ritter Guelfo.

A m a l i a. Und auch der liebe Guelfo. O mein Guelfo,
sieh freundlich, sieh gut, mach unsre Freude laut und   20
vollkommen! Warum läßt Du uns so unfreundlich?
(faßt ihn an der Hand) Sieh, Guelfo, ich könnte Dir
itzt viele Vorwürfe machen, daß Du uns fliehst, daß
Du immer ausser Hause bist, und, wenn Du zurück
kömmst, Dich einsperrst: und ich und Dein Vater wei-   25
nen über Deine rauhe Gemüthsart Tag und Nacht.
Aber, ich wills nicht thun, mein Guelfo! will das all
dulden, wills mütterlich dulden! Du wirst Dich ändern.
Nicht wahr, Guelfo? Du wirst milder?

G u e l f o. Ja denn! ich werde milder! Lassen Sie mich!   30
Noch einmal, Ihr Kosen ist meinen Wangen unbekannt.

A m a l i a. Du stößt meine Hand weg! Guelfo! stößt
Deine Mutter weg!

G u e l f o. Weine! weine! klage! taumle zu Deinem   35
Ferdinando! He, Mutter? *(faßt ihre Hand.)*

A m a l i a. Drück' mich hart, starker Guelfo! Deine
Hand ist männlich; schone der weichen Hand der
Mutter nicht, wenns der Druck der Liebe ist.

G u e l f o. Ja, der Druck der Liebe, und der Druck –   40
Was nun, Guelfo?

A m a l i a. Da fiel eine dicke, volle Thräne herunter. Ha, Guelfo!

G u e l f o. Es ist meine nicht.

A m a l i a. Lüge nicht, mein Guelfo! Laß sie Dein seyn! Ich sah sie auf Deinem Auge zittern. Laß sie mich weg-küssen! Wenn der Mann, wie Du, weint, fühlt er tief. Nicht, mein Guelfo? Du liebst Deine Mutter, die Dich so sehr liebt, die Tag und Nacht seufzt, und betet, Du möchtest gut seyn, und Liebe erwiedern? Mein starker Guelfo, laß mich an Dir ruhn! Du hast mir viel Liebes gethan die Stunde, hast mir viel Liebes getan Dein Leben durch.

G u e l f o. Mutter – was haben Sie mit mir vor?

A m a l i a. Lieber Guelfo, wenn meine Liebe Dich nicht schützte – o Dein Herz schlägt stark! Schlägts der Mutter?

G u e l f o. Weiß ich das? wenn mich Ihre Liebe nicht schützte –? nun? –

A m a l i a. Dein Vater wird jeden Tag mehr aufge-bracht. Täglich kommen Klagen wegen Deiner. Oft wollt’ er Dich aufsuchen, Dirs vorhalten im Grimm. Ich schlung mich um ihn, hielt ihn, log – heut erst noch –

G u e l f o. Mag er kommen! Guelfo kennt sich und seinen Vater. Weib, Du hättst mich nicht gebären sol-len! Ich war kein Knabe für Euch, bin kein Mann für Euch! Erwürgen hättst Du mich sollen! erdrücken in der Wiege, daß ich nicht aufgewachsen wäre, der Löwe Guelfo! Ich hab’ Muth, Feuer, Geist, Stärke, – und habt mich niedergeschlagen bey der Geburt! Ha! bin ich aus dem Hause der Guelfen? – Nicht, Weib? Du gebarst den Ritter Guelfo, daß er Spott sey? Deine sanften Hände wären damals stark genug gewesen, mich zu würgen. Schling sie um mich! Du kannst Guel-fos Nacken nicht umspannen; und doch, wenn Du mir den Dienst thun willst, halt’ ich still.

A m a l i a. Guelfo! mein Sohn! mein Sohn! erbarm’ Dich Deiner Mutter!

G u e l f o. Und wer erbarmt sich meiner, der ich gefol-tert werde von bösen Geistern innig? Wer erbarmte sich meiner von je? Mir? mir? des Guelfo?

A m a l i a. Angst! Angst! – – Dein Vater kömmt. Berg'
    Dich hinter die Liebe Deiner Mutter, wenn er zürnt.
G u e l f o. Still, Mutter!

Vierter Auftritt.

Alter Guelfo. Vorige. (hernach) ein Bedienter.   5

A m a l i a. *(zum Vater)* Guelfo, Dein Sohn ist gut und
    sanft. Ich versichre Dich, der Ritter war nie so lieb.
    Komm, lieber Guelfo, Du sollst sehen, daß man dem
    Ritter viel Unrecht thut. Er ist ein herrlicher Junge,
    unser Guelfo, ein tapferer Ritter, dem keiner steht. 10
    Sieh ihn an, Vater! Hast Du Einen in Italien gesehen,
    der ihm gleicht? Ein bischen wild ist mein Guelfo;
    aber das giebt sich: und Tapferkeit, sagt man, ist wild.
    Nicht, mein Guelfo?
A l t e r G u e l f o. Das wär was! Nun denn, Ritter, 15
    wende Dich zu mir! Gib mir Deine nervigte Hand,
    Sohn! Denk' immer, daß Du ein Sohn des berühmten
    Guelfo bist, das ich Dir nicht genug sagen kann! Denk,
    daß wir viele Feinde haben; Deine Faust kann sie
    schrecken, denn Du bist fürchterlich berühmt im Streit. 20
    O mein Ferdinando! mein Guelfo! zwey starke Pfeiler
    meines beneideten Hauses, auf denen der Alte in Frie-
    den ruhen kann, fest und geschützt. Meine Aerndte in
    Krieg und Vertheidigung ist gethan; ich habe mich
    hingestreckt, träume meine Jugend, und seh' Euch zu. 25
    Da stehen sie, Guelfo ein Felsen im Meer, und Ferdi-
    nando, der mehr durch Klugheit gewinnt, weil er stil-
    ler ist, reifer überlegt, und seinen Vortheil absieht.
A m a l i a. Und Guelfo?
A l t e r G u e l f o. Wenn Du edel bist, Guelfo, Deine 30
    Wildheit zum Guten lenkst, Deine Tapferkeit von
    Ferdinandos Klugheit leiten läßt, soll unser Haus bald
    ein Herzogthum blühen. He, Guelfo?
G u e l f o. He, Guelfo! He, Herzog Ferdinando! He,
    Guelfo! 35
A l t e r G u e l f o. He, Ritter Guelfo!
A m a l i a. He! Freude! Und mein starker Sohn Guelfo

noch General! Das muß er werden. Hat er sich nicht
rechtschaffen gehalten, daß ihn alle neiden? Trägt er
nicht eine grosse Wunde unter dem Orden, die ihn
mehr ziert, als der Orden? Noch einmal, ein herrlicher
Junge, mein Guelfo, wenn er seine Mutter liebt, und
still ist!

Alter Guelfo. Amalia, ist das des Kind's Blick?
Es kocht was in ihm! Sieh den Drachenblick! Guelfo!

Amalia. Geh doch! laß doch! Wer weiß, was dem
Guelfo ist! Er ist krank.

Alter Guelfo. Nein doch! Ich muß sehen, wie sich
Leidenschaften bey meinen Kindern zeichnen. Was
beißt er die Zähne? was zieht er die Faust zusammen?
was wölkt sich die Stirne? So steht man vorm Feinde.
Mann, Dein Gesicht gefällt mir nicht.

Guelfo. Dann gebt mir eine Larve!

Alter Guelfo. Ha! Das ist die schändlichste Larve,
die Du itzt trägst.

Amalia. Er ist krank, sag ich, es schmerzt ihn was.
Geh doch, Guelfo! Reit dem Sohn und der Braut entgegen! Geh doch! ich will ihn sanft machen, er ist gar
willig, wenn ich allein um ihn bin.

Alter Guelfo. Nein doch! Guelfo! sieh Deines
Vaters Angesicht – Blickt' ich Dich so an, Du solltest
mich hassen. Was soll ich thun?

Guelfo. Den Guelfo hassen, wie Du thust.

Alter Guelfo. War das Guelfos zweyter Sohn?

Guelfo. Guelfos Narr!

Amalia. Guelfo, geh doch! Laß es hiermit! Guelfo
wird gut; Du weißt, daß das seine Krankheit ist.

Alter Guelfo. Fluch Dir, Guelfo! wenn Du so
siehst.

Guelfo. Fluch mir! wenn ich anders seh.

Amalia. Segen Guelfo, wenn er noch wilder sieht.
Hinaus, Alter! Will keiner gehen? Beyde heiß, wie
Feuer! Vater! Sohn! He da! ich schwaches Weib will
Euch Wütende abhalten. Wart! ich will meine Schnür-
chen abreissen, und Euch anheften, weit von einander.
Ich bin ein schwaches Weib, will mich an Dich hängen,
Alter! Keiner soll des andern Stirne sehen. He Guelfo!
(wirft ihm ein Tuch aufs Gesicht) ich will Dein wildes

Gesicht decken, das ihn erzürnt. Blickst mir doch gut
zu, mein Sohn!

G u e l f o. Laßt es! Seyd getrost, Mutter! Ihr sollt des
Guelfos los werden, den Ihr zu Grunde gerichtet, den
Ihr bey der Geburt zu Grunde gerichtet habt!

A l t e r G u e l f o. Ein böser Geist redet aus Dir! Du
hast den Würgteufel, der Vater und Mutter nicht
schont. Die Sorge für Dich riß mich von den Feinden,
als ich den erfochtenen Sieg nutzen wollte. Du bist
mein Sohn nicht.

G u e l f o. Sagt das noch einmal, ich bin Euer Sohn
nicht.

A l t e r G u e l f o. So nicht.

G u e l f o. Los von Vater! – Mutter, bin ich Dein Sohn?

A m a l i a. Mein Sohn? Still! still! Ihr endet mit mir!

G u e l f o. Ha dann! von Euch beyden los! entsagt!
Hast Du noch etwas, berühmter Guelfo? – Ich habs
gehört, und das zittert mir in der Seele – ich bin Guelfos Sohn nicht! Gott, du hasts gehört! Ich bin Guelfos
Sohn nicht. Ich habs gehört, wie Guelfos Fluch den
Bastard Guelfo traf. *(kniet)* Hier knie' ich und
schwör Dir ab – schwör Dir ab, ich bin Dein Sohn
nicht, grauer Guelfo! bin Dein Sohn nicht, sanftes
Weib! Nun dann! ich ziehe mein Schwerdt, und be-
ginne den Schwur – Ich armer Ritter Guelfo – laßt
Eure Thräne nicht um mich in Staub fallen! mischt sie
mit Ferdinandos Freudenthränen! – Ich armer Ritter
und Bastard –

A l t e r G u e l f o. *(indem sie ihm beyde um den Hals
fallen)* Du bist mein Sohn! mein lieber Sohn.

A m a l i a. Du sollst mein Sohn seyn, und wenn Du mir
das Herz noch mehr bluten machtest! und wenn Du mir
den bittern Todeskelch reichtest! Du bist mein Sohn!
mein Guelfo! den ich unter meinem Herzen trug, ihm
freudig entgegen weinte, eh' ich ihn sah! bist mein
Guelfo!

A l t e r G u e l f o. Tausend väterlichen Segen für den
zu raschen Fluch, mein Sohn! Sey Deines Hauses
Zierde!

G u e l f o. Ihr spielt mit mir – mißbraucht mich! Wohl
dann! ich will's seyn – kann ichs seyn.

A m a l i a. Laß Du die Thränen fallen vom Aug', alter
Guelfo! Sie zieren Dich. Und laß sie uns mischen mit
Freudenthränen! O Guelfo, sey der Mutter Lust! –
Sagt' ich Dir nicht, der Ritter ist gut; Du kennst ihn
nicht, wie ihn die Mutter kennt. Sieh gut, Sohn!
*(Während daß Amalia spricht, bringt ein Diener dem
alten Guelfo einen Brief, er liest)*
A l t e r G u e l f o. Erschrecklich! Ich hab' Dir meinen
Segen geben, ich hab' Dir meine Thränen geben – und
da – und da – lies! lies! – Was zitterst Du, Weib?
Hinaus! ich will Dich hinaus stossen – und da –
A m a l i a. Und da ist mein Sohn, der soll mich schützen
für Guelfos Grimm.
A l t e r G u e l f o. Und er hat den Mann gepeitscht,
daß er auf den Tod liegt – den Mann, der seinen vie-
len Kindern Brodt gab. Er hat sie hingebracht, Hun-
gers zu sterben! zu laufen in die Wildniß! Ich gab ihm
meinen Segen, weinte ihm meine Thränen. Ha! ich will
meine Augen ausreissen, weinen sie noch einmal über
Guelfos zweyten Sohn! Hast Du gelesen?
G u e l f o. Ich thats; ja doch, ich thats. Ich schüttle mich,
und Guelfo nehm seinen Segen und trag' ihn über
Ferdinando! Verdient das Fluch? Ich peitschte meinen
Pachter, weil er mir das Reh stahl – das schönste Reh
im Forst; peitschte ihn, weil er meinen Hund stach,
daß er starb. Wer will Rechenschaft?
A m a l i a. That er das?
G u e l f o. Ob ers that? Lügt Ritter Guelfo? – Wart
einen Augenblick, alter Guelfo! *(sucht im Schreibtisch)*
Hier ist die Abtretung des Guts; und so zerreiß ich sie.
Nimms nun, gibs dem Erstgebornen! Hier hast Du
Deinen Segen; gewirkt hat er noch nichts. Nimms,
nimm alles! Hier steh' ich ohne alle Ansprüche. Nimm,
daß ich kahl werde! He da! Ritter Guelfo! leg deinen Degen an, und zieh gegen die Türken! Was
fehlt Dir noch? Du bist reich mit deinem Herz und
Arm.
A l t e r G u e l f o. Nein! nein! Du sollst das Gut behalten, und mehr dazu. Ich will dem Pachter Entschädigung geben; es wird so arg nicht seyn.
G u e l f o. Ich will nichts, ich bin reich.

A m a l i a. Nimms doch, Guelfo! Ich will Dir einen
prächtigen Schmuck geben, für Deine künftige Braut.

G u e l f o. Ha, ha, ha! – Guelfo, geben Sie mir den Zug
Apfelschimmel zum Erbtheil; und ich gehe, der verfluchte, verlorne Sohn! Geben Sie mir den Zug Apfelschimmel; ich will mich reich halten, will mich mit diesem Muth durch die Welt schlagen.

A m a l i a. Gib ihm die Schimmel, gib ihm die Pferde
all.

A l t e r G u e l f o. Guelfo, die Schimmel hat Dein Bruder schon.

G u e l f o. Mag er sie behalten!

A l t e r G u e l f o. Er kömmt in einer halben Stunde
mit seiner Braut; er giebt sie Dir. Guelfo, freu' Dich
mit uns!

A m a l i a. Du sollst sie haben. Komm uns nach! *(ab)*

Fünfter Auftritt.

G u e l f o, *(allein.)* Niederschiessen will ich sie und ihn!
Ich will sie nicht, ich mag sie nicht! Träumt ichs doch,
wußt ichs doch! Es sind vortrefliche Pferde, und
stampfen *(stampft)* den Boden, blasen, werfen die
Mähne, haben einen Blitz im Aug – Heyda! Ritter
Guelfo! kauf dir einen Esel, und reit zum Türken! Er
hat sie, hat Segen, Liebe, Herzogthum – und Kamilla!
Ha! ich werd rasend! O ich küßte die Fingerspitzen
der Kamilla, und war Wonnetrunken; legte meine
Rauhigkeit nieder, wie der Tieger, der Orpheus Sang
hörte. Sie sang – Kamilla! Hu, Caßius! *(In ein Neben-
kabinet ab)*

       Ende des ersten Aufzuges.

Zweyter Aufzug.

Erster Auftritt.

(Ein Saal.)

Guelfo. Grimaldi.

Guelfo. Ist Dirs wieder besser, Grimaldi?

Grimaldi. Wenn mirs am Körper fehlte, lieber Guelfo, scheut' ich keine Feuerkur. Ablösen wollt' ich mir das Glied lassen, wo michs schmerzte, und verstümmelt standhaft leben. Aber, Guelfo, tief und peinlich und auch wonniglich liegts in meiner Seele. Einen gebeugten von Menschen gekränkten Geist, ein verwundetes Herz mit sich herumzuschleppen, und so täglich dem öden Grabe mit gesenktem Haupte zuzuwallen – Sieh, Bruder! ich falle vom Fleisch, schmachte, seh bleich – und dieser morsche Körper blühte einst in lieblicher Jugend, ward bestaunt, geliebt. Trat ich auf, Guelfo, zischelten sich die Mädels in die Ohren, webten mit Blicken und Bewegungen Ketten und Netze, den Grimaldi zu bestricken. Das war Gedräng, Zunicken, Fächerrauschen und Anhängen. Wie viele Uneinigkeiten und kleine Zänkereyen verursachte ich nicht unter Schwestern, Liebenden und Herzensfreundinnen! Wenn ich eine mit Wärme und mehrerer Theilnehmung ansah, stellte sich schnell ihre Nachbarinn in Riß, und stahl wenigstens den Blick auf die Hälfte, den ich Höflichkeits wegen nicht kalt zurückziehen konnte. Ja – ja!

Guelfo. Red' nur fort, Grimaldi; ich kann hören, und das denken – Ich seh' nur nach der Strasse, um meinen Bruder mit den Hengsten im Pomp anfahren zu sehn. Nu?

Grimaldi. Wie das nun all liegt, Jugend und Vermögen! Ich senke meine Arme, senke mein Haupt – gefallen bin ich, der rasche Grimaldi! Und da ich fiel, durch Neid und Verfolgung von Schwachen, floh Schnellkraft, Zuversicht und Festigkeit. Ich zog mich ganz in mich in mein Trauren. Das gesellschaftliche

Leben unter Menschen, alle heitere Empfindungen, alle
Theilnehmung an meinem und andrer Geschick, alle
Sinne verwandelten sich in meiner gedrückten Brust in
Haß und Widerwillen. Ich schwirre nun in Trauer-
gedanken, fühl mich vergehen, fühl mich gerne vergehen – Denn was ist das Leben, mein lieber Guelfo,
wenn einen das genommen ist, was einem Leben giebt,
wenn einem noch dazu der Weg verlegt ist, den zu
gehen man gemacht ist?

G u e l f o. Man räumts weg, Grimaldi!

G r i m a l d i. Denn muß man auch das vorige Gefühl
wieder in sich sammlen können. Aber, Guelfo, wenn
das nun all niedergerissen ist, was uns damals trieb,
wie den jungen Adler, der seine Schwingen stark fühlt,
den Weg zur Sonne zu schweben – wenn das nun nicht
mehr aufzuwecken ist – Lieber Guelfo, ich schein' mir
dem geblendeten Adler zu gleichen, der sein Leben in
den Felsen austrauert. Was hülfe mirs nun auch, wenn
ich mich wieder aufzutreiben suchte, einige Schritte
taumelte, und mich doch nicht an der Sonne erquicken
könnte, worauf es ankömmt!

G u e l f o. Das kömmt all wieder. Man findt sich,
und das andre findt sich auch. *(unverwandt durchs
Fenster nach der Strasse)*

G r i m a l d i. Ja, es kam einstens ein Sonnenblick! –
Guelfo, Du weißt doch auch, wer kam, und mir die
Nacht vors goldne Strählchen feindlich stellte, daß ich
weiter nichts erblickte, als Haß und bösen Genius in
mir? – War das Erquickung für mein Herz, als mir die
Lichtgestalt erschien! Ich hatt' ein Liedchen, das ich
damals oft sang –

G u e l f o. Sing, Grimaldi.

G r i m a l d i. *(singt)*

> Heiter kehrest du, o Licht!
> Und ein helles Strählchen bricht
> Aus der dumpfen Nacht hervor,
> Hebt mein leidend Herz empor.
>
> Es erschien ein Engelskind,
> Rührte meine Seele – schwind! –

Und die Trauer schwand dahin,
Selig, selig nun ich bin!

Selig, selig werd ich seyn,
Wenn die Liebe mich wiegt ein,
5   Wenn die Lieb' den Trauersinn
Wandelt mir in Freudensinn!

Glänze ferner durch die Nacht,
Liebe, süsse Zaubermacht!
Hülle mich, o Zauber, ein!
10   Selig, selig werd' ich seyn!

O Guelfo, Guelfo! was waren das Stunden!

G u e l f o. Und nun?

G r i m a l d i. Guelfo, da wollte der schlafende Genius
wieder aufwachen, wollte mich beleben, und ich ward
15 angespornt – träumte glühende Träume, wie ich nun
mit Riesenschritten gehen wollte als ein edler Kerl!
Guelfo, ich ward auf die Wagschaale gelegt, mein Adel
zu leicht befunden; mein Werth fiel tief, Guelfo! Die
süssen Augenblicke, die ich lebte, die mich zu allem ge-
20 macht hätten! Ward ich nicht in Finsterniß zurück-
gestossen, worinn ich noch immer tappe?

G u e l f o. Du hast Recht, Grimaldi. Du warst damals
in einem Gang, gingst so schnell nach dem Ziel, daß ich
Dir mit Wunder zusah.

25 G r i m a l d i. Drum stieß mich Vetter Ferdinando unter;
der alte Guelfo hätt' sich des Grimaldi erbarmt. O der
Seligkeit der Stunden! o der Seligkeit des Grimaldis!
o der Verdammung des Grimaldis, die nun um ihn
liegt!

30 G u e l f o. Armer Narr! Hätts an mir gelegen, Du hättst
sie haben sollen. Ich hatte Dich auch gewogen, Grimaldi! aber ich fand Dich bewährt. Was nutzte mein
Reden all?

G r i m a l d i. Ich dank' Dir noch, mein lieber Bruder.
35 Ich will Dich immer so nennen, und nach Othen
schnappen, wenn ichs denk', und Dich an meine Brust
drücke. *(umarmt ihn)* O wenn ichs worden wär'! und
wenn ichs worden wär' – ist sie nicht todt?

G u e l f o. Das herrliche Mädchen!

G r i m a l d i. Sie starb, sie starb! und da sie starb, starb
    Grimaldi! Alle Hoffnung und Leben entquoll meinem
    Herzen mit den blutigen Thränen. Bruder! Dir darf
    ichs sagen, daß mir jede Nacht ihre blasse Todten-
    gestalt erscheint, .daß ich sie so kalt in meine Arme   5
    festdrücke, daß sie mir winkt, und daß sie mich nach
    sich zieht. O Juliette! Juliette!
G u e l f o. Geh doch! laß mich!
G r i m a l d i. Fühlt' ich ihren Tod nicht so scharf! und
    würd' ihn schärfer fühlen – Hab dich Gott, meine   10
    Liebe! Grimaldi wallt dir eine düstre Wallfahrt nach.
    Und gewiß wärst du noch hier; denn ich wollte dich
    gepflegt haben, wollte dich getragen haben, auf den
    Fittigen der erquickenden Liebe! O Juliette, du wärst
    noch unter uns!   15
G u e l f o. Ich bitt' Dich, Grimaldi, wieg mich nicht in
    diesen schwermüthigen Ton. Ich brauch Stärke; und
    bin ich nicht im nemlichen Fall?
G r i m a l d i. Armer Guelfo!
G u e l f o. Wär' Kamilla nicht mein worden, und ich   20
    hätt' in den Armen der Liebe den Löwen Guelfo ab-
    gelegt? wär' still und friedlich geworden? – Sie hatte
    Guelfos ganze Seele.
G r i m a l d i. Du sagtest ihr?
G u e l f o. Nein! nicht! Ich Bestohlner, der ich nichts als   25
    meinen Degen habe!
G r i m a l d i. Und er hat sie nun, da er mit den schwe-
    ren Titeln kam, mit den reichen Goldsäcken, von Her-
    zogs Glanz geführt! Da bückte sich die Liebe – ha!
    und bückte sich unter, und der tapfere Guelfo schwand   30
    aus ihrem Herzen. Sterben will ich, ohne an Juliette
    zu denken, wenn er nicht Deine Liebe wußte.
G u e l f o. Mag er! er hat sich weh mit gethan; denn
    fordern will ich auch das von ihm im Grimm. Himmel
    und Erde! wenn ich der Wonne denk', in der ich   35
    schwebte, ihre Gestalt vor mir seh mit aller Glorie der
    Schönheit! Grimaldi, das war ein Leben! das waren
    Zückungen! – Ich kann Dich versichern, ich allein kann
    das Weib an ihr finden, das an ihr ist, das Weib des
    tapferen Ritters, dem sie Siegskronen mit Liebe win-   40
    det, kömmt er vom Feinde. Ihm ist sie nichts. Ich

konnte den Schleyer heben, und im Heiligthum der
innern Schönheit ihrer Seele lesen. Ha! wie ich einst
nach der Schlacht ihrem Schlosse zujagte, mit Blut der
Feinde besprizt! Sie lächelte himmlisch von dem Balcon herunter, warf mir ein weisses Tuch zu, rief: Ritter, wisch das Blut weg! Du schreckst meine Gespielen.
Und ich thats mit dem Tuch, legte es auf mein Herz –
siehst Du's! hier heilte es, und that gut.

G r i m a l d i. Und das Weib hat er?

G u e l f o. Und das Weib hat er!

G r i m a l d i. Vor Deinen Augen seine Seligkeit, vor
Deinen Augen die herrliche Gestalt, vor Deinen Augen
den Himmel! Hölle in mir und Dir! – Bruder, laß uns
Einsiedler werden, laß uns der Welt absagen, und uns
treu sterben! – Wie kann ichs, wie kannst Du's ansehen? Eine härne Kutte wär des armen Grimaldis Sache.

G u e l f o. Guelfos eine stählerne Keule, zu zerbrechen
damit das Haupt –

G r i m a l d i. Gebär den Gedanken nicht! – Ha! dort
kommen sie gefahren!

G u e l f o. Will kein Donner nieder? will kein Donner
nieder, die springenden bäumenden Hengste zu läh-
men? Ha! wie die Pferde ausgreifen! was das hebt!
Sieh' den Herrn im rothen Kleide mit Gold, wie Her-
zoglich prächtig! Will kein Donner nieder? Siehst Du
sie? O Grimaldi, im weissen Kleide! Sie sieht heraus,
streckt ihre Hand heraus, und wirft dem Bettler was
zu – die Chaise wendet wieder – der Stern auf seiner
Brust, wie er blinkt! Sie! – Teufel! Teufel!

G r i m a l d i. *(unverwandt zum Fenster hinaus)* Wirfst
Du Seifenblasen hinaus? Sie zerplatzen, eh' sie nieder-
kommen, armer Narr!

G u e l f o. Grimaldi! Grimaldi! Laß mich was thun! Ich
will eine Pistole losschiessen – ich muß so was hören!
Mein Herz heischts!

G r i m a l d i. In die Luft doch?

G u e l f o. Heyda! – Wart! nach der Wasserseite –
(schießt zum andern Fenster hinaus) Hi! Hi!

G r i m a l d i. Rasch in Hof! Eins, zwey – sechs Diener
nur – vier Läufer nur – zwey Heyducken nur – Es ist
wenig und genug für einen Herzog.

G u e l f o. *(kniet nieder, spricht in sich und springt auf)*
Ausgesprochen, und geschehn! Fest in meinem Blut
sitzts! sausts an den Wänden her, und kräuselt sichs
in der Luft! Bey Guelfos Herz! es soll nicht zergehen,
wie Grimaldis Seifenblasen.　　　　　　　　　　　5

G r i m a l d i. Was treibst Du hinter mir?

G u e l f o. Frag' nicht! Was ich thu, thu ich!

G r i m a l d i. Sie steigen aus – Vater – Mutter –

G u e l f o. Kos't ihn, liebt ihn, springt um ihn herum!
So! drückt ihn noch fester ans Herz, und weint! Fluch 10
mir! Fluch mir! Bey der Geburt bestohlen! Nun dann,
bettelarm heute! – – Brav, Ferdinando! Wollte Gott,
du machtest deine Sache anders; aber so – wieder? hu!

G r i m a l d i. Das ist närrisch. Sieh, dort im Teich, wie
der Mensch den Fisch angelt. Er zuckt sehr, zuckt sich 15
los, fällt aufs Ufer, er hascht ihn –

G u e l f o. Und er küßt sie! Ha! vor meinen Augen!
denk! vor meinen Augen! saß so lang bey ihr, hat sie
so lang, wird sie haben, und vor meinen Augen! –
Grimaldi, will er mich umbringen?　　　　　　　20

G r i m a l d i. Wie der Kerl den Fisch zappeln ließ!
Pfui!

G u e l f o. Und wie ich zapple! Mit den Küssen angeln
sie meine Seele, und ich blute. Kamilla! Kamilla! Ich
häng' an der Angel, zucke mich zu Tode! Sie sieht 25
nach ihm, und Liebe zittert auf ihren Lippen – sieht
herauf – was denn? Kamilla, was denn? O weh mir!

G r i m a l d i. Sie kommen herauf – Willst Du sie er-
warten?

G u e l f o. An der Angel den Tod zu zappeln? *(beyde* 30
ab.)

Zweyter Auftritt.

Alter Guelfo. Amalia. Ferdinando. Kamilla.

F e r d i n a n d o. Nun ist mir ganz wohl, da ich wieder
hier im Hause des Vaters bin. Mich kam eine wunder- 35
bare Empfindung an, da ich so den Hegwald herunter
fuhr. Aber da ich in Guelfos Hause bin, jedes Bildchen

seh, jeden Gegenstand erkenne, des Vaters Liebe fühl',
ist mir ganz leicht.

K a m i l l a. Du hast mich sehr erschreckt, lieber Ferdinando. Du wardst so bleich – Guelfo, er saß auf ein-
5   mal so still, und zitterte, ich konnt' ihn kaum zu sich
bringen. Komm, Ferdinando! Deine Stirne ist noch
heiß – er schwitzte Angstschweiß, Vater! – Lieber
Ferdinando! –

A m a l i a. Sohn! Lieber! Mach mir nicht angst!

10 A l t e r G u e l f o. Es kömmt vom Fahren. Es ist heute
sehr heiß gewesen.

K a m i l l a. Nein! Ihm fehlt was –

F e r d i n a n d o. Es ist nun wieder vorüber. Es ist närrisch! Kamilla, ich wollte Dirs nicht gleich sagen, aber
15   itzt lach' ich selbst drüber. Guelfo, als wir an die
Eichen kamen, sah ich in der Ferne meine Gestalt aufsteigen, daß ich mich kannte, und wildes Geräusch
schreckte mein Ohr.

A m a l i a. Deine Gestalt, Ferdinando?

20 F e r d i n a n d o. Lebendig! Meine Sinne können mich
betrogen haben; ich vergeß' es schon wieder.

A l t e r G u e l f o. Einbildung, Ferdinando! nichts als
Einbildung!

F e r d i n a n d o. So nehm' ichs auch. Mir ists nur leid,
25   daß ich meine Kamilla erschreckte. Es ist vorüber, und
war vorüber, da Du mir mit der Hand über die Stirne
fuhrst, und riefst. Ich wachte auf, wie aus einem
Schrecktraum, und schien mir in Himmel über zu gehn.
Nun, Vater? Nicht so ernsthaft! Küssen Sie Ihren Sohn
30   noch einmal! Meine Mutter! Laßt mich glücklich seyn!
Alles will ichs machen, und alles wird michs machen!
Meine Kamilla hat Ihnen ihr Herz geschenkt, da sie
mirs gab; und ihr Blick giebt Ihnen die Versicherung.
O wir werden ein Leben führen – –

35 A m a l i a. Mein lieber Ferdinando! – Ja! wir werden
nun recht freudig seyn zusammen.

F e r d i n a n d o. O Mutter, Sie sinds! Diese wenige
Worte – – Sehen Sie mich fort so an!

A l t e r G u e l f o. Ruh aus, mein Sohn, Du überläßt
40   Dich zu sehr dem Gefühl! Ruh aus!

K a m i l l a. Ich zählte alle Stunden, fragte jeden Augen-

blick: Wie weit sind wir noch, Ferdinando? so begierig
war ich, den alten Guelfo wieder einmal zu sehen, und
meines Ferdinandos Mutter. Und Ferdinando war gütig, erzählte mir viel von Ihnen, von der herrlichen
Gegend, und alles find ich so. Es ist ein lieblicher Sitz, 5
sagt' er, beym Vater. Und gewiß ists ein lieblicher
Sitz. Eine Gegend, so schön, als eine in Italien. O so
die Tiber hinunter zu sehen, von der Sonne vergüldet,
den süssen Gesang der Vögel – und den Guelfo, die
Mutter, meinen Ferdinando – Guelfo, wir wollen der 10
Liebe und Freude leben! *(küßt der Alten Hände,*
Amalia küßt sie)

A l t e r G u e l f o. Sie machen mich mein Alter vergessen. Alles vergnügt, verjüngt mich, was ich seh' und
höre. Ihr Kinder bestürmt des alten Guelfos Herz mit 15
zu viel Liebe; er ist ihrer so wenig gewohnt, daß es
ihm Traum scheint. Zwar, wenn Ferdinando da ist,
da leb ich immer so im Taumel; denn Ferdinando weiß
mit Liebe des Alten Herz warm zu halten. Ferdinando! Ferdinando! Gepriesen sey Gott, daß ich Dich 20
wieder einmal in meinen Armen halten kann! daß ich
die Wonne fühle, das treue Kind fest an mich zu drük-
ken! Laß Dich recht drücken, Guelfos Zierde!

F e r d i n a n d o. Mich nicht allein, mein Vater.

A l t e r G u e l f o. Ha! Dich allein! Dich allein! Bist 25
Du's nicht allein, der dem Vater gütlich thut? der des
Vaters Wohlthat ist? der des Guelfos Haus erhebt, daß
die Feinde vor Neid vergehen? Ja! sie werden sich
verzehren in Marter, unser Haus so mächtig zu sehn.
Ferdinando, Segen über Dich! Daß Du hoch empor 30
wachsest im Lande! – Kamilla, seyn Sie nicht so be-
wegt! Ruhen Sie! Wir wollen Euch zusehn; Ihr seyd
müd', und ich möcht' Euch zusammen sitzen sehn.

A m a l i a. Guelfo! vergiß nicht, ich bitte Dich! *(ab)*

A l t e r G u e l f o. Ferdinando, wärst Du nicht, ich 35
legte mich hin, und stürbe; denn Guelfo wird sehr ge-
ärgert in seinen alten Tagen. Aber nun will ich leben;
meine grauen Haare sollen sich weiß färben, und
meine Jahre hoch steigen, von Dir geleitet. Ich muß es
erleben, was aus meinem Ferdinando wird. Jüngst war 40
so ein Hofschranze hier, der erzählte Wunderdinge

(und mochte ihn wohl heimlich hetzen) was man aus
Dir so grosse Dinge machte – wie schon alle grosse
Häuser aufmerksam würden – daß Du des Herzogs
rechter Arm wärst – – Ha! dacht' ich bey mir – seht
5 nur auf Guelfos Stamm – er soll bald Herzog seyn.

Ferdinando. Gnügsamkeit! Nicht zu hoch gespannt,
Vater, daß die Sehne nicht springt! Es ist noch Zeit
genug; und ich könnte tiefer fallen, je höher.

Alter Guelfo. Das wollt ich sehn, ich! Was Gnüg-
10 samkeit! Man muß steigen, so hoch man kann! war
immer mein Denken. Und da ich mich so weit im
Gleichgewicht hielt, Euch so weit vorgearbeitet hab –
Also red' mir nicht!

Kamilla. Werden Sie nicht zu ernsthaft!

15 Alter Guelfo. Verzeihen Sie mir!

Kamilla. Nicht doch, Vater! Reden Sie, was Sie wollen, was Ihnen gut thut.

Alter Guelfo. Das ist freundlich, Tochter! Gott
erhalt Dich mir!

20 Ferdinando. Wo ist denn mein Bruder? Ich seh
lang nach ihm. Wo ist er?

Kamilla. Ich dachte, er würde der erste seyn, der uns
entgegen käme.

Alter Guelfo. Ja doch, er! Ich seh' ihn manchmal
25 in einem Monat nicht, den wilden Guelfo. Ferdinando,
er wird immer unbändiger, stolzer. Rachgierig ist er;
stößt mich und seine Mutter ins Grab im blinden Zorn.
Er brennt, wie Feuer, wenn wir ihn berühren. Ich bin
zu alt, den Sohn Guelfo zu bändigen. Ich muß zittern
30 für ihn. Heute hab' ich ihn einmal wieder gesehen, und
fast brach er mir das Herz. Er liegt immer im Walde,
badet seine Hände in der armen Thiere Blut. Kömmt
er einmal, vergräbt er sich, und weh, der sich ihm naht!

Ferdinando. Vater, ich sagte immer, man muß
35 Guelfo mit Liebe und Nachgeben begegnen, will man
ihn gut haben.

Alter Guelfo. Und thu ichs nicht? und muß ichs
thun, ich sein Vater? Doch thu ichs, halt' ihn sanft,
wie Du Deine Braut. Meine Amalia thuts auch. Ich
40 fürcht', unser Streicheln macht den Wilden unbändiger.

Kamilla. Der Ritter hat ein edles Herz.

F e r d i n a n d o. Das hat er, Kamilla. – Vater, lassen
Sie ihm seine Unbändigkeit, all sein Wesen; wenns
Krieg giebt, braus't er aus. Ich will ihn mit meiner
Liebe zwingen, mir hold zu seyn.

A l t e r G u e l f o. Ich kenn' ihn auch, und mag nicht   5
reden. Ich wollte, mein Herz hing nicht so an ihm.

K a m i l l a. Es muß an ihm hängen; der Ritter ver-
dients.

F e r d i n a n d o. Er ist die Zierde Ihres Hauses, ein
Schrecken der Feinde.   10

A l t e r G u e l f o. Das ist wahr. Nun – wir wollen ihn
mild zu machen suchen. Kamilla hat eine liebliche
Stimme, und singt in die Laute. Wir wollen täglich
harmonische Musik machen, und ihn zähmen. Ich
wollt', er hing dem Grimaldi nicht so an, der macht   15
ihn traurig dazu mit seiner Melancholie; das verdirbt
ihn völlig. Grimaldi ist ein düstrer Mensch, der Nachts
im Feld läuft, bey Sturm und Wind, und zu den Ster-
nen ruft. Der Kirchhof soll sein liebster Aufenthalt
seyn. Ich selbst fand ihn einstens durch die öde Nacht   20
weinen, daß ich erschrack. Das ist Guelfos Gesellschaft.

Dritter Auftritt.

Grimaldi, (tritt auf.) Vorige.

F e r d i n a n d o. O des traurigen Grimaldi! Willkommen, Vetter!   25

G r i m a l d i. O des freudigen Ferdinando! Guten Tag
denn allen freudigen Seelen, und mir alle ihre Trau-
rigkeit!

F e r d i n a n d o. Ich dachte gewiß, ich würde Sie heite-
rer finden.   30

G r i m a l d i. *(legt die Hand aufs Herz.)*

F e r d i n a n d o. Sie sehen noch verstörter und trauriger. Armer Grimaldi, Sie blühten lieblich – Ich wollte,
Sie hieltens wieder mit dem guten Gefühl.

G r i m a l d i. Und ich wollte, Sie wären nicht so lustig.   35
Wahrhaftig, ich bin so hin, das Lächeln eines Menschen kann mich beleidigen. Ich kann oft meinen Hund
nicht ausstehen, wenn er freudig um mich springt.

Ferdinando. Winden Sie sich los!

Grimaldi. Still, Vetter! Das ist Ihre Braut! O eine liebe Braut! *(küßt ihr die Hand.)*

Ferdinando. Wünschen Sie mir nicht Glück?

5 Kamilla. *(zu Grimaldi)* Ich wollt', ich brächt' Ihnen Freude mit!

Grimaldi. O gütig! himmlisch! – Ich wollte – armes Herz!

Ferdinando. Was ist Ihnen?

10 Grimaldi. Nichts! nichts, als daß ich kein Wort reden kann! Gnädige Gräfinn, Sie scheinen keine Tochter der Erde zu seyn. – Sie haben Ihre Sanftmuth, und – Gott sey Dank! Sie haben einen melancholischen Zug über dem Auge, der mir wohl thut.

15 Alter Guelfo. He, Grimaldi! wollen Sie uns alle anstecken?

Grimaldi. Guten Tag, Vater! Ich sah' Sie kaum. Behüte mich! Ich will Euch Eure Freude lassen; ich wollt', ich könnte Euch meine vorige dazu geben!

20 Aber, Guelfo, die Gräfinn! *(sieht gen Himmel)* Und dort wohnt eine, und hier wohnt sie! *(die Hand aufs Herz)* Gräfinn Kamilla, Sie haben – o dieser Zug, der sich so sanft, so weich hebend in die Lippen verliert – und die labende Oefnung des Munds – dieses himm-

25 lische reine Auge – dieses süsse Wallen – das haben Sie, ja! Sie habens von ihr.

Kamilla. Mein Herr!

Ferdinando. Sie schwärmen wieder, Grimaldi! Kommen Sie doch zu sich.

30 Alter Guelfo. *(dazwischen vor sich)* Er meint meine Tochter, und hat Recht. *(wischt sich die Augen.)*

Grimaldi. Versteht kein Mensch den Leidenden? – Ich will gehn, Ferdinando, und Sie nicht weiter stören. Vater, vergönnen Sie mir ein Plätzchen im Hause mit

35 dem Ritter; ich mach Ihnen denn bald Raum.

Kamilla. Bleiben Sie bey uns! Ich hab' so viel Guts von Ihnen gehört; ich wünschte, Sie söhnten sich mit der Welt aus.

Grimaldi. Nicht doch! nicht doch! Ich und die Welt

40 haben gebrochen, und so gebrochen, daß mein Herz mitbrach.

Alter Guelfo. Wo ist der Ritter?

Grimaldi. Seine Mutter ist bey ihm.

Alter Guelfo. Dacht' ichs doch, als sie wegschlich!
Grimaldi hat uns alle Freude verdorben. Hängt die
Köpfe nicht so! Gleicht Ihr doch alle dem Schwärmer! 5

Ferdinando. Ich möchte alles vergnügt sehen, und
ich weiß nicht, ich hab' heute selbst einen Hang zur
Schwermuth.

Grimaldi. O Ferdinando, sagen Sie das nicht.

Alter Guelfo. Morgen soll Hochzeit seyn – Sind 10
das Hochzeitgesichter? Kommt zu Tische! – Grimaldi,
Seyn Sie munter, oder bleiben Sie weg.

Grimaldi. Das letzte, Guelfo! das letzte!

Ferdinando. Nein, kommen Sie! *(die andern gehn.)*

Vierter Auftritt. 15

Grimaldi. *(allein.)* Armer, armer Guelfo! Deine
Prüfung ist hart! Armer, armer Grimaldi! Du hast
viel von ihr gesehen. O meine Juliette, laß mich nicht
so lange! nimm mich bald! – Und saß ich nicht hier
bey Dir? Kamst Du nicht an einem schönen Frühlings- 20
morgen hier herein, erschrocken, und ich hatte Dich in
meinen Armen, und Du sagtest: Lieber Grimaldi!
und ich sagte: Liebe Juliette, was ist Ihnen? – Du sagtest, ein Kind sey in Hof gefallen, das habe Dich erschreckt – – Ich lief, und holte das Kind, und ver- 25
bands; und ich bekam einen Kuß der Liebe und der
guten Menschheit. Ja, meine Juliette! Hier wars, wo
ich der Liebe weinte; hier ists, wo ich der Liebe sterbe.
Ha! und wars nicht hier, wo Dein Ferdinando sagte,
unsre Liebe gelte nichts? Sagt' er so? Nein! Du solltest 30
den reichen Grafen heyrathen; so sagt' er. Aber mein
Herz sagte, Juliette wirds nicht thun! Sie thats auch
nicht, und vermählte sich mit dem Tode. – Ferdinando! – Weg! – Ich muß Rache denken, und mag
keine denken. O Juliette! Juliette! – *(geht)* 35

Fünfter Auftritt.

(Das Zimmer des ersten Aufzuges.)

Kamilla. Ritter Guelfo.

G u e l f o. *(vor der Thür)* Ich muß sie sehn! muß sie
allein sehn! *(tritt herein.)*

K a m i l l a. Ritter Guelfo, noch einmal willkommen, so
finster Sie mich auch vorhin ansahen, als Sie bey uns
vorbey eilten, und sich kaum halten liessen. – Was
machen Sie?

G u e l f o. *(kniet)* Legen Sie Ihre willkommne Hand
auf mein Haupt, und den Liebessegen! o allen Segen
in diesem! Ich steh nicht auf, Kamilla. Segen von dieser Hand dem armen Ritter Guelfo! Ihre Hand auf
mein Haupt, an mein Herz, an meine Lippen, und mit
meinen Lippen versiegelt den Liebessegen!

K a m i l l a. Ritter!

G u e l f o. Wenden Sie sich nicht von mir! O Kamilla!
Kamilla! diesen Trost dem verfluchten, beraubten
Guelfo! Sehn Sie mich an! Mit Einem Blick von der
Marter mich loszuwinden, wie wenig kostet das!

K a m i l l a. Guelfo, was ist Ihnen? Sie sehn verstört –

G u e l f o. Mir ist nichts, gar nichts – und wenn ich diese
Hand habe, und wenn ich diese liebe Hand auf mein
geängstetes Herz lege, gar nichts! – Willkommen,
meine Schwester! Tausendmal willkommen, meine
Schwester! Meiner Liebe willkommen, meine Kamilla!
O so schwebe vor mir! so mache mich lebendig! – Laß
mich fühlen in diesem Kuß alles Entzücken der Liebe,
und alle Marter! – Willkommen, meine Schwester!

K a m i l l a. Sehr willkommen, Ritter! Ich bitte Sie,
sehn Sie anders.. Kommen Sie, erzählen Sie mir etwas.
Ich habe Sie so lange nicht gesehen, und gewiß, ich
verlangte nach Ihnen.

G u e l f o. Ich möchte das glauben, und mit diesem
Glauben mich gegen die Feinde stellen! – Ists so, meine
Schwester?

K a m i l l a. Gewiß! Da ich Sie das letztemal sah, machten Sie mir viele Sorgen.

G u e l f o. Guelfo, hörst du das? Und es rief mir eine

Stimme zu: Habe Glauben! und es rief mir abermal
eine Stimme zu: Habe keinen Glauben! Denn wenn du
das glaubst – Guelfo, wo bist du? – Nun, Kamilla wie
mir ist? – ich kann Ihnen sagen, Kamilla – aber was ich
sagen kann – Kamilla, sehn Sie mich an – und was ich   5
sagen könnte –

K a m i l l a. Lassen Sie mich los!

G u e l f o. Nicht, Kamilla und meine Schwester! Ich
soll Ihnen ja erzählen. Und, Kamilla, wenn ich diese
weisse Hand habe, und wenn ich diese Adern so blau   10
sich schlängeln seh, diese Pulsschläge lausche, und
Ihnen ins Gesicht seh, werd ich Ihnen viel erzählen
können. Aber da ich so gar wenig reden kann, doch so
viel zu reden habe – das letztemal, da ich Sie sah, war
mirs freylich wunderlich. Denn, wenn ich mich noch   15
recht besinne, schickten Sie mir Balsam für meine auf-
gerißnen Hände, die ich kriegte, als die Pferde scheu
wurden, und mit meiner Kamilla davon rennen wollten; das mir denn sehr ungerecht schien. Ich fiel ihnen
aber auch brav dafür in die Mähne, und hielt sie, daß   20
sie stunden, wie Lämmer.

K a m i l l a. Nein, damals wars nicht. Sie sind irre. Das
letztemal sah ich Sie, als mein Ferdinando kam.

G u e l f o. Ihr Ferdinando? – ja doch! Ich ritt nach, ohn'
es zu wissen, daß Ihr Ferdinando da war. Wie ich nun   25
kam, und alles nur Ferdinando schien, alles um Ferdinando schwebte – Heyda! seyn Sie doch lustig! Ich
weiß nicht, was das für ein Gespräch ist, das wir zusammen führen. Ich sah Sie noch nicht einmal lächeln,
und Sie stehlen einem doch das Herz weg, wenn Sie   30
lächeln. Ich bin sehr lustig, lache mehr, als ich weine.
Mich wundert nur, daß niemand mit mir lachen will.
Ha, ha, ha! Daß Sie nun da sind! Ha, ha, ha! Daß
ich Sie habe, diese Hand habe, diese liebe Kamilla
habe, und alles mich neidet! Ha, ha, ha! Lachen Sie   35
doch!

K a m i l l a. Sie sind fürchterlich mit Ihrem Lachen.

G u e l f o. Das weiß ich längst. Sie wollen nicht einmal
mit mir lachen? Nicht ein Lächeln? Thun Sies doch!
Zwingen Sie sich ein wenig! Um eines Kranken willen!   40
Das Lachen soll ja so sympathetisch seyn, daß gleich

alle lachen, wenn einer lacht. Noch nicht, meine Kamilla?

K a m i l l a. Ja, Sie sind wirklich krank. Lassen Sie
mich!

5 G u e l f o. Sie stossen den Kranken weg! Und wenn ich
denn krank bin, einen Trost, meine Kamilla! Ich sah
Sie wohl weinen und besorgt seyn, um eine Ihrer Kam-
merfräulein, die plötzlich krank ward; ja Sie warteten
und pflegten Sie. Ich will nur ein gutes Wörtchen. –

10 Mir ziehen Sie unbarmherzig Ihre seidne Hand zurück; und wenn ich sie mit meinen Fingerspitzen be-
rühre, fliehen doch alle Krankheiten, und ich steh da,
als wär' ich zur Unsterblichkeit geboren. – Wie, meine
Kamilla?

15 K a m i l l a. Ihre Krankheit ist von einer Art – ich will
Ihren Bruder rufen.

G u e l f o. Ist er eifersüchtig? Ist ers? und ich will ihm –
Nu meintwegen! rufen Sie Ihren Ferdinando! Vernichtet habt ihr mich doch alle! – Was willst Du,

20 Guelfo? – *(schlägt sich vor die Stirne)* Ist er nicht da?
Ist der Bräutigam noch nicht da?

K a m i l l a. Seyn Sie gut, Ritter! seyn Sie sanft! Sie
begegnen Ihrem Bruder hart. Er weinte bitterlich, da
Sie seine Hand wegstiessen, und fiel schluchzend dem

25 alten Guelfo in die Arme.

G u e l f o. Das kann er, weinen kann er! Und erweint
sich damit sehr viel. Seine Thränen – ha! wenn ich
meine Thränen so verkaufen könnte, wenn ich sie so
verkaufen möchte – Also, er weinte, und da? –

30 K a m i l l a. Ich bitte Sie um Gottes willen, seyn Sie
anders! Ich muß den Augenblick weg, wenn Sie nicht
Mann sind.

G u e l f o. Ha! was ruft? Was wallt in diesen zarten
Adern auf? Was schreyt diese Stimme, die sonst so

35 weich und harmonisch klang? – Kamilla, Verzeihung!
Ich beuge meine Kniee vor Dir, dem ersten Weib' auf
Erden – Verzeihung! Hast Du sie gewährt, so blick'
noch einmal auf mich, der ich im Staube zertreten bin
– ich gehe.

40 K a m i l l a. Stehn Sie auf! Wir können uns unmöglich
so wiedersehen, das ich doch wollte.

G u e l f o. Das war Kamilla! Da entquillt ihren Lippen
Erquickung, daß sich Ritter Guelfo aufrichten kann!
O Kamilla kann einen aus Todesschlaf wecken, kann
einen umwenden mit einem Blick! Nun ist mir doch
gar wohl.   5

K a m i l l a. Und Thränen im Auge?

G u e l f o. Sehn Sie das? Pfui Guelfo! sey Mann! folg
dem Bescheid!

K a m i l l a. Kommen Sie ans Fenster! Es ist prächtig
Abendroth; die Sonne geht herrlich unter. Freuen Sie   10
sich doch mit mir!

G u e l f o. Die letzten Sonnenstrahlen durch die Bäume
her – Ich möchte mich in die Feuerhelle dort schwingen, auf jenen Wolken reiten mit vergoldetem Saume!
– Kamilla! *(faßt sie an der Hand)* Ach! und ich bin   15
wieder so hin – ich möchte diese Feuerwolken zusammenpacken, Sturm und Wetter erregen, und mich zer-
schmettert in den Abgrund stürzen! – Kamilla! Kamilla! Kamilla! *(küßt sie heftig.)*

K a m i l l a. Guelfo! Guelfo! Lassen Sie mich! He da!   20

G u e l f o. Schrey nicht! Und noch einen! und noch
einen! – Ha! so der letzte Kampf! – Zu Deinen Füssen
gestreckt – bleib! bleib! ich geh! – Schrey nicht, Kamilla! Ritter Guelfo heult; und wenn er heult, heult
Lieb’ aus ihm.   25

K a m i l l a. *(nach der Thür.)*

G u e l f o. Wie denn? warum denn?

Sechster Auftritt.

Ferdinando. Vorige.

F e r d i n a n d o. Wie, mein lieber Bruder?   30

G u e l f o. He, was?

F e r d i n a n d o. Erschrocken, Kamilla? Was ists?

K a m i l l a. Nichts, Lieber! gar nichts!

G u e l f o. Glaub’ ihr nicht! Ich küßte sie – sieh’, da
stehn meine Küsse! Vier Küsse drückt’ ich auf ihre   35
weichen Lippen! Ha, ich küßte sie stark, hielt sie stark,
und sie wand sich los, und schrie.

Ferdinando. Da thatst Du recht, Guelfo. Das ist Deine Schuldigkeit; Du küßtest sie nicht zum Will-kommen.

Guelfo. Siehst Du nicht, wie ich küßte?

5 Ferdinando. Und ich küsse sie; küsse des Bruders Küsse von ihren Lippen, die mir selten und desto theu-rer sind.

Guelfo. Und küßt die Sünde vom Heiligthum, die ich drauf küßte, leidige schwarze Sündenküsse! Bravo!

10 Bravo! und all' die Sünde hängt noch. Bravo! und Du wirsts nicht auslöschen.

Kamilla. *(ab.)*

Guelfo. Ritter Guelfo empfiehlt sich. – Du hast meine Sünde, trag sie!

15 Ferdinando. Herzlich gern, lieber Bruder. Aber –

Guelfo. Wurmt Dirs? Du siehst roth auf einmal – –

Ferdinando. Nicht doch! Red' freundlich mit Dei-nem Bruder! Gib meiner Liebe Raum!

Guelfo. Noch einmal, ich küßte sie heiß. Verstehst

20 Du mich? Und diese Küsse, Ferdinando, wie Du sehn sollst – diese Küsse, wer was dagegen hat – Verstehst Du mich?

Ferdinando. Küß' sie mehr, Bruder!

Guelfo. In Deiner Gegenwart? Wenn sie mir um den

25 Hals fiel, wenn mirs durch die Seele bebte, das gute Geschöpf in meinen Armen zu haben, wollt' ich doch nicht! Nicht, weil sie Deine Braut ist, sondern, weil ich nicht will!

Ferdinando. Sprich anders, lieber Guelfo!

30 Guelfo. Wer ist der, welcher Guelfo lehren will, wie er sprechen soll? Guelfo hat ausgelernt.

Ferdinando. Will ich das? will ich das, Guelfo? Ich will nur, Du sollst reden, wie man mit seinem Bruder spricht.

35 Guelfo. Und ich will, Du sollst gehen!

Ferdinando. Laß mich meinen Bruder in Dir wie-der finden!

Guelfo. Mensch, geh!

Ferdinando. Wenn ich Dir verhaßt bin, wenn ich

40 muß – Bruder, reit morgen früh mit mir aus; ich hab' Dir viel zu sagen.

G u e l f o. Und ich wenig. Ritter Guelfo kann nicht
  vorhersagen, was er thun will.
F e r d i n a n d o. Lieber Bruder!
G u e l f o. Was beliebt? *(von verschiednen Seiten ab.)*

Ende des zweyten Aufzuges.

Dritter Aufzug.

Erster Auftritt.

(Es ist Sturm und Nacht.)

*Grimaldi, (schläft auf einem Sopha.) Guelfo, (tritt auf,
  ein Licht in der Hand.)*

G u e l f o. Ha! verfolgt mich alles? Alle Dämonen und
  alle Gespenster der Nacht? Mein böser Geist hängt mir
  auf dem Nacken, er läßt mich nicht, stirrt mich aus
  allen Winkeln an. Blas' zu! Vergift' mir jedes Fäserchen meines Herzens! Wühl' giftig in meinem Blut!
  Hu! was martert den Guelfo? wen will Guelfo mar-
  tern? – Die Glocke ruft dumpf, der Sturm saußt über
  der Tiber. Eine schöne Nacht! – Ferdinando, gib das
  Weib! Ferdinando, gib die Erstgeburt! – Wer schläft
  um mich, und ich will ihm den Schlaf von den Augen
  stehlen? He, Grimaldi! Kannst Du so süß schlafen?
  Grimaldi! Grimaldi! gib mir auch Schlaf! *(reißt ihn)*
G r i m a l d i. Ha! – ha! –
G u e l f o. Gib mir was von dem Schlaf, Du Liebling
  des Schlafgotts! Theil' den Schlaf mit mir, Grimaldi!
  mit Deinem Guelfo, der Dir alles giebt! Nur ein kleines Mohnkörnchen Schlaf! – Gott! daß ich bis morgen
  ausdaure! Der arme Guelfo wird sehr verfolgt, und
  gejagt! – Grimaldi! schlaf – schlaf nicht! – Grimaldi!
  gib mir Schlaf!
G r i m a l d i. Ach!
G u e l f o. Gib mir Schlaf, oder ich erwürge Dich, und
  hasch' den Schlaf im Fluge von Deinen Augen!

G r i m a l d i. Laß mich! ich schlafe kalten Todes-
Schlaf – – Bist Du's, Bruder?

G u e l f o. Laß das Wort weg! Wisch es ewig, ewig aus
der Sprache der Lebendigen! Nenn mich anders, soll
ich antworten!

G r i m a l d i. Bist Du's, Guelfo?

G u e l f o. Freundlicher Grimaldi, Du machst mich wieder gut. Wer anders, als Guelfo, wird zur Stunde der
Mitternacht herumgetrieben?

G r i m a l d i. Guelfo! so lange Zeit der erste Schlummer, und der war fürchterlich!

G u e l f o. Murr nicht! Schlaf kriegst Du wieder, aber
Deinen Guelfo nicht.

G r i m a l d i. Sieh nicht so schrecklich! Was braußt?

G u e l f o. Ha, Schläfer! Hab' ich Dich ertappt? Hörst
Du nicht, wie lieblich die Natur mit Guelfo dahin
braußt? O ich hab' sie immer geliebt, dafür wütet sie
jetzt dankbarlich mit mir. Habe Dank, gütige Mutter!
Du bist allein mir Vater und Mutter und – Ferdinando! Laß mich die Sonne nie wieder sehen! Schwarze Donnerschwangere Wolken hängen über der Erde,
bis ich fertig bin.

G r i m a l d i. Setz Dich her, Guelfo! Du hast einen
bösen Tag gehabt, und ich hatt' ihrer viele. Uns wirft
das Unglück zusammen, und kettet uns fest an. Wir
wollen uns näher rücken. Das Leiden ist ein festes
Band; das ist Freundschaft, derer ich achte. – Wo
kömmst Du jetzt her, Guelfo!

G u e l f o. Grimaldi, wenn Deine Sinne nicht zerrissen
werden, wie meine, wenn Du mir nicht den tobenden
Sturm unterbrüllen hilfst – Grimaldi! ich muß! ich
muß! Das Schicksal sprachs aus, ich muß! Blutig
schwingt der Todesengel das würgende Schwerdt über
mich, und berührt meine Seele! Entschluß ist da, Voll-
bringen ist da! Alle gute Geister hüllten ihr Haupt
ein, und weinten eine Zähre über den verdammten
Guelfo. Ich muß! – Grimaldi! wenn ich nicht müßte –
Im Sturme sausen böse Geister: Guelfo, du mußt! –

G r i m a l d i. Was denn, Guelfo? Um Gottes willen!

G u e l f o. Nenn ihn nicht!

G r i m a l d i. Guelfo! Laß mich sterben!

G u e l f o. Grimaldi soll nicht sterben. Wenn Du mir
stirbst, Grimaldi, sollst Du dort Juliette nicht sehen.

G r i m a l d i. Behüte, Guelfo! – So red' doch!

G u e l f o. Ich hab' nichts, als ein bischen Wuth. Sieh,
wie ausgestossen Guelfo da steht! Grimaldi! Morgen   5
Abend ist Hochzeit; ich soll der Knabe seyn, der die
Fackel trägt – Hymen! Hymen! Auch ich rufe: Hymen! Ich will euch ein Hymen posaunen, daß Todte
sich umwenden – daß die Sonne nie mehr wage, mit
Heiterkeit aus ihrem goldnen Gezelt zu schauen! Denn   10
Guelfo wird ein blutiges Brautlied singen! Nicht so
bleich, Grimaldi! Ich schwärme nur. Hörst du ein Geheimniß? Ich hab' den Contrackt erwischt, Ferdinando
hat alles. Das Guth, das mir die 500 Ducaten abwarf,
noch an Rand geschrieben. Sag' das keinem Menschen,   15
Grimaldi! Es macht dem alten Guelfo wenig Ehre;
und der alte Guelfo, sagen die Leute, hält viel auf
Ehre.

G r i m a l d i. Du hast nichts?

G u e l f o. Nichts, nichts! Nicht so viel, daß ich mich   20
vergiften könnte! Arm bin ich, wie ein Bettler – trug
eben alle meine Baarschaft in die Tiber!

G r i m a l d i. Nichts hast Du?

G u e l f o. Ich las nicht weiter. Unten stund eine so
kleine bettlerische Zahl, die er mir abgeben sollte, daß   25
ich sie gar nicht wissen mochte. So stehts nun mit mir!
Ich hatte den Abend noch ein Gezerr mit dem alten
Guelfo, das alles entschied. Der reiche übermüthige
Ferdinando wies mir, glaub' ich, die Thüre, wenn ich
so fortführe – der alte Guelfo stieß mich wirklich hin-   30
aus – Kamilla hielt mich – Grimaldi! bey den Rach-
geistern, die diese Sturmwolken peitschen! sie ließt
mich! – Sie schlung ihre Hände um mich: »Guelfo!
laß Dir Sanftmuth zuhauchen!« – und ich brüllte: »Du
hauchst mir den Teufel mehr zu, so sanft und lieb Du   35
auch bist!« – Sie rissen mich weg, und der alte Guelfo
gab mir mit meiner Lanze, die hinter der Thür stund,
einen Schlag, der mich noch schmerzt. Ich schwieg,
blickt' ihn an, und sah den Augenblick, daß er mein
Vater nicht ist. Ein Vater, Grimaldi, kann den heissen   40
Guelfo nicht schlagen. Aber, Alter! ich will auch un-

freundlich hinein schlagen! Rauf deine grauen Haare!
– Ha! noch schmerzen mich meine Lenden. Und sie
alle netzten Ferdinando mit Thränen, schrieen, als
hätt' ich sie an der Gurgel: »Einziger, rette uns!« –
5 Merkst Du das Wort? Einziger! Wie viel darinnen
liegt! – Das alles nun kam daher, weil ich einige Küsse
auf Kamillas Lippen drückte; die brannten den Buben!
G r i m a l d i . Stoß mir Deinen Degen durch die Brust!
ich mags nicht aushören. – Was blutst Du?
10 G u e l f o . Ich schmiß mit der Stirn auf die Steine, indem sie mich hinaus warfen, glaub' ich.
G r i m a l d i . Menschheit! Menschheit! Eine feindliche
Hand schüttelte den Loostopf, die Stimme schrie drein:
Verflucht fall' es auf die beyden! So fiels auf uns,
15 ausgeleert mit Haß. Wir beyde sind vernichtet, ohne
Rettung und Trost. In diesem Augenblick überfällt
mich Menschenhaß, daß meinem Gaumen nach ihnen
gelüstet. Laß uns die Menschen anfallen, wenn das
Aeltern thun! Laß sie uns zerreissen! Leg Deinen De-
20 gen weg, und schärf Deine Zähne! Ha! ich werd'
wahnsinnig mit Dir über das Geschick.
G u e l f o . Mord! Mord! und wenn ichs denke, stehn
mir die Haare nicht. Grimaldi! rette mich vor meinem
Geist! Rette, rette mich!
25 G r i m a l d i . Ermanne Dich! und wenn ich sage, er-
manne Dich! sag' ich nichts. Ich wälze mich Jahre im
Leiden, und kann mich nicht aufrichten.
G u e l f o . Rette mich vor meinem bösen Geist! Horch,
hörst Du nicht Trauermusik? Hörst Du kein Leichen-
30 geheul? Grimaldi! Ha! nichts? nichts? Hörst Du nicht
Wehklagen? Ha!
G r i m a l d i . Dein Gehirn ist zerrüttet, armer Narr!
Weh denen, die Dich so weit brachten.
G u e l f o . Wenn das Getös nur vorüber wäre!
35 G r i m a l d i . Rache und Weh!
G u e l f o . Horch!
G r i m a l d i . Ich halte Dich in meinen Armen, und will
Dich retten. Guelfo! Laß uns zusammen sitzen und
absterben, wie der Fisch, dem das Wasser abgeleitet ist.
40 So ists nun. Nicht zu seyn, Guelfo! nicht zu seyn mehr!
in die öde Gruft gehüllt – hier nicht mehr! Wir wollen

übergehen, und Deine Schwester wird uns empfangen
mit Friedenskronen. Komm, sey still! Laß uns über
den Tod reden! Ich bin vertraut mit ihm, und will
Dir seine Apologie halten, die ganz kurz ist. Guelfo,
er ist ein guter Freund, heilt schnell alles Unglück. Du   5
fühlst Dich matt, als hättest Du eine weite beschwer-
liche Reise gethan, schlummerst ein, und fühlst Dich
nach und nach nicht ohne Wollust sterben. Er schmerzt
nicht, Guelfo, nur in der Einbildung; er ist viel zu
freundlich. Er schlingt Dir ein Band um den Hals, das   10
nicht schmerzt, es ist mit einer einschläfernden Süßig-
keit begabt. Kein Morgentraum ist lieblicher. Guelfo,
ein herrlicher Gedanke durchzittert mich – nicht zu
seyn! Und sind wir so? – Ich meine, des Menschen
Bestimmung wäre, zu handeln, sich seinen Brüdern   15
mitzutheilen. Wenn sie das nicht wollen – – Guelfo!
über das Grab geht der Weg zu Julietten – Du giebst
nicht acht!

G u e l f o. Schwärme Du immer, Grimaldi! Mich deucht,
man müsse sich rächen, und dann sterben. Rache ist   20
Seligkeit, und geh ich dann über, bin ich nicht zwiefach selig?

G r i m a l d i. Nachdem die Rache ist – auch zwiefach
verdammt.

G u e l f o. Hat nicht alles den Stachel zur Rache? Wenn   25
Du den Wurm trittst, windet er sich unter Deiner
Sohle, und sucht sich zu rächen. – Ich haß' ihn von der
Wiege, haß' ihn von der Stunde, als seine Eitelkeit
über mich hinaus wollte – ich haß' ihn von seinem
ersten Stammeln. Ha! nannt' er mich nicht einst beym   30
Spiel kleiner Guelfo! und ich schlug ihm vor die Stirne
drüber! Siehst Du, wie das, was das Kind dachte, der
Mann ausführte? Seine Kleider, die er trug, haßt' ich.
Trug er einen Rock von der Farbe des meinigen, zer-
riß ich meinen. Weil die Jungens alle meine festen   35
Tritte gingen, wollt' ers auch nachmachen; aber ich
zerarbeitete meine Kniee so lange, bis sie anders schrit-
ten; und die Kammeraden riefen: »Guelfo, du gehst
anders!« – Mich deucht manchmal, ich hasse Kamilla,
weil ich sie an seinen Lippen hängen sah. Und wenn   40
ich denk', Grimaldi, was das Leben ist; wie einer, der

eine vermögende Seele hat, tief bey der Erde liegt,
und ein andrer mit einem schwachen, eitlen, schmeich-
lerischen Geist über ihn hinaus schreitet und hoch sitzt!
Ich bin nur Guelfo – ein Mensch, der wegen seiner
5 Thaten schrecklich unter Freunden und Feinden ist.
Da ist Ferdinando, ein eitles, schwaches, elendes,
püppisches Männchen, der von Empfindsamkeit viel
schwätzt, nichts als ein bischen Mädchenseele hat. –
Denn ich weiß noch heute, daß ihm ein Junge eine
10 Puppe nahm, mit der er spielte, sie aus- und anputzte,
wie ein kleines Dirnchen. Er heulte, wie ein Mädchen,
und lief schluchzend zur Mutter. Und an eben diesem
Tage zerschnitt mir einer aus Bosheit die Sehne meines
Bogens. Er hatte viele Jahre vor mir; doch faßt' ich
15 ihn, schmiß ihn den Hügel hinunter, wie einen Ballen.
Glaubst Du wohl, daß dieser nemliche Ferdinando
von der Abendluft krank wurde? Und er ist auf dem
Weg, mit den mir gestohlnen Gütern, mit der mir gestohlnen Braut, Herzog zu werden; und ich bin auf
20 dem Weg, ein Narr zu werden über alles das! Aber
abdringen will ich sie ihm! er soll sie hergeben, oder
sein Leben!
    G r i m a l d i. Guelfo! sey arm! sey elend! Nur mach,
daß Du von dieser Leidenschaft loskommst, die Dich
25 verzehrt!
    G u e l f o. Ha, Schwätzer! und hast Du Dich nicht auf-
gerieben? – Ich bitt' Dich, steig auf den Balcon, ge-
beut dem Sturm, er soll sich legen. Faß' ihn an der
Scheitel, und ruf: Was soll das, daß du wider meinen
30 Willen die Elemente erregst, und Verderben anrichtst!
– Der beleidigte Sturm wird fortbrausen, Dich hageres
Gerippe nach der Tiber tragen, Dir seine Macht zu erkennen geben, und geräth fortsausen.
    G r i m a l d i. Verflucht! Eine solche Leidenschaft zu
35 unterdrücken gebieten, die die größte Triebfeder unsers Wesens ist – die alles aus uns heraus windet, was
wir werden können! – Guelfo, versuch alles! Dring
ihn, er soll Dir Kamilla abtreten!
    G u e l f o. Grimaldi! ich wollt' ihm alles lassen, alle
40 meine andern Begierden sollten schweigen. Aber
glaubst Du wohl? – Ha! er müßte der größte Schurke

seyn! und er solls! Ich schwör' Dir, er solls! Teufel
und Hölle! er solls! – Zitterst Du? Und Du sollst ihm
nach! – Ist er mein Bruder? Ist er – er soll!

G r i m a l d i. Denkst Du das, so ziehe Deinen Degen,
laß mich sterben!   5

G u e l f o. Zum Teufel mit Dir! – horch!

G r i m a l d i. Leise Schritte und Seufzer durch den
Gang her –

G u e l f o. Fort mit Dir! Mein böser Geist kömmt wieder! – Fort mit Dir! Ich will Niemand um mich sehen.   10
Hinaus!

G r i m a l d i. Hörst Du nicht wimmern?

G u e l f o. Hinaus denn!

G r i m a l d i. Guelfo!

G u e l f o. Bey meinem Zorn! ich verderbe Dich.   15

G r i m a l d i. Weh uns! weh allen!

Zweyter Auftritt.

Amalia. (vor der Thür) Guelfo.

A m a l i a. Mein Sohn, mein Guelfo, bist Du hier?

G u e l f o. Ich bin hier – wollt' ich wäre nicht hier!   20

A m a l i a. *(tritt herein und fällt ihm um den Hals)* O
mein Guelfo, ich kann nicht schlafen, ich kann nicht
wachen. Laß mich mit Dir reden, laß mich um Dich
seyn!

G u e l f o. Mutter, Sie sind zu einer unglücklichen   25
Stunde gekommen. O es aus Deinem weichen Herzen
zu drängen – Ich bitt' Sie, gehn Sie unsanft mit mir
um!

A m a l i a. Was ists, mein Guelfo?

G u e l f o. Mutter, ich wollt', Sie wären nicht gekom-   30
men.

A m a l i a. Warum, Guelfo? O ich suchte Dich herzlich
auf! Unsre Kissen sind mit Thränen gebadet. Angst
und Liebe trieb mich vom Lager auf. Ich schlich mich
weg, mußte Dich sehen. An wessen Thür ich vorüber   35
ging, hört' ich Schluchzen und Weinen. Sohn, laß mich
Dich zufrieden sehn, alles wirds dann. Guelfo, nimm
mir die Angst vom Herzen!

Guelfo. Noch einmal, wärst Du nicht gekommen –
um Deinetwillen nicht! Guelfos Weib, kehren Sie zu
ihm zurück, und werden Sie ruhig! Sie sind die Einzige auf dieser weiten Erde, für die mein Herz etwas
5 fühlt. Du wirst blutige Thränen weinen. Nein! Du
sollst nicht! ich hoffe, nicht. Geh! geh' von mir, wenn
Du meine Mutter bist! – Ha! ich beschwöre Dich, sieh
nicht blaß und zerschlagen, wie ein Nachtgeist! Ha,
Mutter! und auch Ferdinandos Mutter!

10 Amalia. Deine arme geängstete Mutter, wie seine.
Laß mich um Dich! Laß mich bey meinem Sohn! Mein
Guelfo wird mir freundlich die Angst vom Herzen
nehmen, sich mit mir aussöhnen, wenn er mir zürnt.
Du bist mein innig geliebter Sohn. Keine Mutter kann
15 ihren Sohn mehr lieben, als ich meinen Guelfo. Gib
mir Deine Hand, sey gut! Wie wohl wird mirs dann
seyn!

Guelfo. Schone meiner! schone Deiner! – Ich bitt' Sie,
wenns aus mir bricht – Blut wird aus Deinem Herzen
20 strömen. Mutter, komm! ich will Dich wegschaffen,
durch diesen Sturm tragen, daß Du Ruhe hast!

Amalia. Guelfo! was denkst Du? Werd' ich nicht selig
um Dich seyn, wenn Du mein Sohn bist? – Weg von
Dir? von Ferdinando? – Mein Guelfo denkt anders.
25 Ja, wenn Du sagtest, Du wolltest mein Guelfo nicht
seyn, mich denn zum Grabe trügst, itzt noch, dann
würdest Du mir einen Liebesdienst thun. Und Guelfo!
das ist doch mein Schicksal, wenn Du nicht besser wirst
– Aber Du wirsts so weit nicht kommen lassen, Lieb-
30 ster!

Guelfo. *(fällt nieder)* Mutter, noch einmal, schone
meiner! schone Deiner! Du zerdrückst mir das Herz
mit dem Blick und den Reden, verwirrst meine Sinne.

Amalia. *(kniet zu ihm)* Guelfo, ich knie zu Dir und
35 flehe, laß Dich die Mutter heilen! Ruh an der bangen
Brust der Mutter, und hol' an ihrem Herzen Ruh!
Dein Herz wird stille seyn, und ruhig Deine Sinne.

Guelfo. Du endest diese Stunde mit mir. Komm! ich
will Dich fragen; antworte mir treu!

40 Amalia. Das will ich. Der alte Guelfo trauert, Kamilla trauert, Ferdinando trauert.

G u e l f o. Kamilla? und wollt mich alle niederweinen?
Kamilla soll nicht trauern, keiner soll trauern!

A m a l i a. Dein Vater rauft sich die grauen Haare über
Dich. Er ging hart mit mir um über Dich.

G u e l f o. Laß Dichs nicht wundern, Mutter! Er kann   5
nicht leiden, daß mir jemand gut sey.

A m a l i a. Nicht so, Guelfo! Er glaubt, ich stärke Dich
im Zorn. Er meints treu mit uns. Er bereuts, daß er
Dir heut hart begegnet ist; er bereuts innig.

G u e l f o. Mutter! hier, wo Du Deine Hand nieder-   10
drückst, schlug der alte Guelfo seinen Sohn, daß es
noch schmerzt.

A m a l i a. Ich will meine Hand nicht niederdrücken,
Guelfo! will Dir sanft über den Schmerz streichen!
Verzeih mirs!   15

G u e l f o. Du legst glühende Kohlen auf meine Wunde.

A m a l i a. Ich will sie mit meinen Lippen kälten und
löschen. Der alte Guelfo thats ungern, ohne Vorsatz.

G u e l f o. Ohne Vorsatz? Nein, nein! Er schlug, als
wollt' er mich in die Erde schlagen.   20

A m a l i a. Nicht doch! Sieh, Du schossest nach der
Lanze, und er fürchtete –

G u e l f o. Was? Was?

A m a l i a. Deinen Zorn. – Guelfo! es ist ihm leid.

G u e l f o. Das solls nicht! Hätt' er mich zu Boden ge-   25
schlagen, daß ich mich nicht wieder aufgerichtet hätte,
dann wärs morgen Hochzeitfest, und ich brauchte
nicht zu singen das Brautlied. Ich bin Euch allen ein
Abscheu.

A m a l i a. Gott bewahr! Guelfo! gib uns Frieden! gib   30
Dir Frieden!

G u e l f o. Frieden sollt Ihr haben – hab ich ihn!

A m a l i a. Auch die Schimmel sollst Du haben, sobald
Ferdinando beym Herzog aufgefahren ist. Ferdinando
hätt Dir sie gleich gegeben, aber Guelfo wollte nicht.   35

G u e l f o. Still, Mutter! oder ich renn' in Stall, und
stech' sie nieder.

A m a l i a. Du wirsts nicht thun, wirst Deiner Mutter
schonen.

G u e l f o. Keines! Wie Ihr meiner schont!   40

A m a l i a. Guelfo, ich schone Deiner, wie ich Deiner

schonte, da ich Dich als schwachen Säugling an meine
Brust drückte.

G u e l f o. Mutter! Mutter! – und jetzt gehn Sie.

A m a l i a. Du wirst mich nicht wegstossen.

5 G u e l f o. Nun Mutter, sag' mir! – sag' mir! – ha!

A m a l i a. Dein Auge rollt fürchterlich. Ich will mich
hinter Dich verstecken. Guelfo, berge mich vor Deinem
Blick!

G u e l f o. Schau mich an, Guelfos Weib! Mach denn
10 meiner Quaal auf Einmal ein Ende! Antwort' mir
treu!

A m a l i a. Wenn ich Dir helfen könnte! – Eil! eil! zögre
nicht! – Was stockst Du? Eil doch!

G u e l f o. Weib, wer von Deinen Söhnen ist der Erst-
15 geborne? Erschrick' nicht, oder Deine Furcht beant-
wortet meine Frage! – Wo ist nun die Hülfe, die meine
Mutter so schnell versprach? Antwort' auf diese Frage,
Mutter! Ich laß' Dich nicht weg, und erliegst Du unter
der Angst! Wer ist der Erstgeborne von Deinen Söh-
20 nen?

A m a l i a. Ferdinando.

G u e l f o. Mutter! Auch Du willst Guelfo durch Lügen
betrügen? – Mit dieser Lüge stirbt die Mutter aus meinem Herzen, mit dieser Lüge stirbt alles! – Werd' nicht
25 ohnmächtig! Und wenn Du ohnmächtig wirst, will ich
Dich aufbrüllen, vom Tod' auf! Halt Dich aufrecht!
Ha denn! Mutter, wer von uns beyden ist der Erstgeborne?

A m a l i a. Erbarm Dich mein! Erbarm Dich unser aller,
30 schrecklicher Würger!

G u e l f o. Belügst Du Deinen Guelfo?

A m a l i a. Bey der Angst, die je eine Mutter wegen
ihres Kindes erlitten! ich lüge nicht.

G u e l f o. Ferdinando wärs?

35 A m a l i a. Ferdinando ists!

G u e l f o. Wie ich Dich ertappe, Weib! und wie ich Dich
ertapp' auf Deinen Lügen! – Mutter, Sie hätten gehn
sollen; nun ists zu spät! – Und Sie meinen, ich wüßte
den Betrug nicht? Noch einmal, wer ist der Erstge-
40 borne?

A m a l i a. Ferdinando!

G u e l f o. Hör' es, Guelfo! Deine Mutter rief sich mit
dem Namen aus Deinem Herzen. Es ist Deine Mutter
nicht. Ich straf' meine Mutter keiner Lüge; Guelfos
Weib log! – Weg, was Mutter heißt! Du bist Guelfos
Weib! Werd' nicht ohnmächtig, es hilft nichts! Du   5
sollst mir sagen, wie Ihrs machtet, um mich zu besteh-
len.

A m a l i a. Guelfo! Guelfo! Die Angst bey Deiner Geburt war so schrecklich nicht. Erwürgst Du Deine Mutter?   10

G u e l f o. Nein! Gott behüte mich vor allem Mord!
Aber Sie müssen mirs sagen, wies zuging? wie er der
Erstgeborne geworden ist? Wir sind Zwillinge?

A m a l i a. Das seyd Ihr! Laß mich sterben!

G u e l f o. So nicht! Ich will Dich und Dein Leben fest   15
in meinen Armen halten. Ob Du mich schon halfst zu
Grunde richten und klein machen, da ich unvermögend
war, will ich Dir doch vergeben – Dir allein! denn der
Tod schwebte um Dich.

A m a l i a. Du wirst besser.   20

G u e l f o. Noch nicht, liebe Mutter!

A m a l i a. Nenn mich fort so! ich hab' Hoffnung.

G u e l f o. O wie glücklich ist das Weib! so schnell über-
zugehen von Angst zur Freude! – Es sieht auf meinem
Gesicht vielleicht ganz ruhig, obs schon hier immer tie-   25
fer geht. Nun, Mutter! Woran erkennet Ihr, daß Ferdinando der Erstgeborne ist.

A m a l i a. Ich weiß nicht – Dein Vater sagts. Als ich zu
mir kam, hielt ich Euch beyde, und vergaß alles.
Guelfo der starke muß der zweyte seyn, ich litt mehr.   30

G u e l f o. Sagen Sie das nicht. Sie machten, was sie
wollten. – Nun ists gut, daß wir so weit sind. Beruhi-
gen Sie sich, und gehn Sie zu Bette.

A m a l i a. Guelfo! was willst Du mit dem allem?

G u e l f o. Nichts! nichts, unglückliche Mutter!   35

A m a l i a. O das bin ich! Als Gott den Fluch über Eva
sprach, fiel er schwer auf mich, vor allen ihren Töch-
tern.

G u e l f o. Gott bewahr Dich, Mutter! – *(küßt sie)* Ich
wollt' nun, Sie gingen! – Sagen Sie dem alten Guelfo   40
nichts von dieser Unterredung! Er haßt mich, und es

würde ärger zwischen uns. – Geh, Mutter! Gott erhalt'
Dich mir, sanfte, liebe Mutter!

A m a l i a. Er liebt Dich.

G u e l f o. Glaub' ihm nicht, wenn ers sagt! – Gott erhalt Dich! Gott bewahr Dich! – *(küßt sie)* Und wenn
ich Dich wieder seh' – Mutter! wenn ich Dich wieder
seh' – Gott geb' Dir die Stärke, die Du brauchst!

A m a l i a. Er gebe Dir alles, und mir wenig, mein Sohn!
Mein Leben ist nichts; er gebe Dir alles! Du brichst
mirs Herz.

G u e l f o. Noch nicht! – Lebe wohl, Mutter! Mutter,
lebe wohl!

A m a l i a. O Guelfo – nicht so! Morgen früh komm ich
zu Dir geschlichen. Noch wenige Stunden, und die
Nacht ist vorüber. – Ich seh Dich. – *(Geht.)*

G u e l f o. Ich bin ruhig, laß mich so! – Gute Nacht,
Mutter! Gute Nacht, herrliche Mutter!

A m a l i a. *(wendet sich an der Thür um)* Gute Nacht!
Gute Nacht, liebster Guelfo! *(ab.)*

Dritter Auftritt.

G u e l f o. *(allein)* – – Mutter! Mutter! Mutter! – Mir
ists, ich müßte sie zurückrufen. Eine wunderbare noch
nie gefühlte Empfindung durchdringt mich. Ha! noch
einmal hat ihre Liebe mein Herz weich gemacht. Mutter! – wenn er nicht? – wenn er nicht? – Ha denn, bin
ich Guelfo, und weiß nicht, was wird? – Gute Nacht,
Mutter! – *(nach der Thür)* Hörst Du? Gute Nacht!
Gott erhalt' Dich! geb' Dir, was ich nicht habe – gute
Nacht! keine mehr für mich auf dieser Erde, vielleicht
keine mehr für Dich! – – Grimaldi! – Schlaf, Trauriger! Ich will Dir nun Deinen Schlaf nicht stehlen. Du
verläßt mich, alles verläßt mich! Wenn Du mich wieder siehst, und ich hab' sie nicht – – Auch Kamilla
trauert! Weh mir! o weh mir! – Ferdinando! – der
häßliche Laut zerreißt mir die Nerven! – die Erstgeburt und Kamilla! – – Wenn Du sie nicht giebst –
(sieht durchs Fenster) Ha! die blutigen Strahlen durch
die Nacht! die erschrecklichen Gespenster! das Heulen

und Gesaus! – Wie die Wolken schwarz hängen, blutig-
durch! Es stürmt erschrecklich fort. Krach! da brachs
ein. Hu! – Das arme Weib, wie sie zitternd bekannte!
– Stürm' fort! – *(Ins Nebenzimmer ab.)*

Ende des dritten Aufzuges.

Vierter Aufzug.

Erster Auftritt.

(Der Saal.)

Amalia. Kamilla. (mit Kleidern beschäftigt.)

K a m i l l a. Nein, dieses werd' ich nicht anziehn, Mutter.

A m a l i a. Warum?

K a m i l l a. Die Farbe ist mir zu hell. Und ich weiß
nicht, mich deucht – nach meinem Gefühl würd' ich
lieber schwarz gehen.

A m a l i a. Wenn Sie nur viel sprächen, und nicht so oft
im Reden einhielten. Ich muß näher zu Ihnen rücken.
Mir ist so bang, so gar ängstlich, wo ich mich hin-
wende. Kamilla! ich möchte nichts, als weinen. Ich
weiß nicht, warum? Lassen Sie mich nah bey sich sitzen – solche Angst hab ich nie gefühlt.

K a m i l l a. Mutter, wenn ich stärker wäre, wollt' ich
Sie trösten; aber mir fährts mit tausend Stichen durchs
Herz, und jetzt – Ferdinando!

A m a l i a. Wie erschrecken Sie mich! Was ist Ihnen?

K a m i l l a. Nichts, nichts! Es ergriff mich am Herzen,
und drückte mich, und 's ward mir etwas dunkel vor
den Augen. – Mutter – verzeihen Sie, ich konnte nicht
wider mich halten. Wir wollen nun den Brautputz aus-
suchen. Wenn wir nur nicht so viele Gäste hätten –
Hat der Vater so viele bitten lassen?

A m a l i a. Er war nicht abzubringen. Bey solchen Ge-
legenheiten macht ers nicht anders. Es muß prächtig

bey ihm hergehn an solchen Tagen. Wir wollen ihm
seine Freude lassen.

K a m i l l a. Von Herzen gern, Mutter. Ich will mir Gewalt anthun, lustig zu seyn; aber wirklich bin ich weit
5 davon.

A m a l i a. Horch! – Ha! kömmt jemand?

K a m i l l a. Erschrecken Sie mich nicht –

A m a l i a. Mich deucht, es käme jemand geschlichen
nahe zu mir.

10 K a m i l l a. Ich hör so oft meinen Namen mit banger
Stimme rufen.

A m a l i a. Das geschieht einem oft. Sie machen mich
gar traurig.

K a m i l l a. Das will ich nicht. *(sieht hinaus)* Es ist ein
15 lieblicher Morgen nach dieser stürmischen Nacht. Möcht
Er sich so ändern!

A m a l i a. Guelfo! nicht wahr? Seyn Sie getrost, Kamilla! er wird sich ändern. Wir zwey wollen ihn schon
besänftigen. Wir wollen immer zusammen seyn; wol-
20 len ihn aufsuchen, er mag flüchten, wohin er will. O
wir wollen den lieben Guelfo mit Liebe verfolgen!
Ferdinando thuts auch.

K a m i l l a. Ich will alles thun, ich bin ihm sehr gut.
Unser Leben wird dann erst Leben seyn.

25 A m a l i a. Gott segne Dich, meine Tochter! – Was fahren Sie schon wieder auf?

K a m i l l a. O wenn ein Vögelchen von einem Ast auf
den andern fliegt, und nur ein Blättchen rauscht,
rauscht mirs durchs Herz. Ferdinando! kehre schnell
30 zurück!

A m a l i a. Um Gottes willen!

K a m i l l a. Warum weinte er, als er ging? Warum fiel
er mir so geängstet um den Hals, und sagte ein so ge-
preßtes Lebewohl? Noch fühl' ich, wie seine heissen
35 Thränen meine Wangen herabrollten. Nahm er nicht
auch so von Ihnen Abschied?

A m a l i a. Eben so. Aber das macht seine Liebe. Ich
bitte Sie –

K a m i l l a. Mußt' er denn just heute ausreiten! Nahm
40 er ein wildes Pferd? Sagen Sie mirs! Wenn er stürzte!

A m a l i a. Ich weiß nicht.

K a m i l l a. Schicken Sie doch Boten nach ihm! Ich kann
nicht ruhen; ich laufe nach ihm, wenns länger dauert.
A m a l i a. Ich vergeh' für Angst.

Zweyter Auftritt.

Alter Guelfo. Vorige.   5

A l t e r   G u e l f o. Guten Morgen! guten Morgen! –
Warum seht Ihr so blaß?
A m a l i a. Und Du so zerstört?
A l t e r   G u e l f o. Mir ist doch nichts, als daß ich
manchmal furchtsam um mich seh. Ich komme, mich   10
bey Euch zu zerstreuen.
K a m i l l a. Ist Ferdinando noch nicht zurück?
A l t e r   G u e l f o. Er kann nicht lange mehr bleiben.
Das war eine schreckliche Nacht. Seitdem ich lebe, hab'
ichs so nicht stürmen gehört. Unsre ganze Orangerie   15
ist zerschlagen. Alle Bildsäulen liegen zerschmissen
weit von den Fußgestellen. Ferdinandos Lieblingsbaum
ist vom Gipfel bis auf die Mitte zersplittert; wie wird
er trauern, kömmt er zurück! Wir müssens ihm heute
nicht sagen; hört Ihrs? Der schönste Baum, der auf   20
viele Meilen zu finden ist. Weiß Gott, wie ich mit
Kummer und Ahndung die schönen breiten Aeste, die
uns so oft Schatten gaben, zur Erde hängen sah!
K a m i l l a. Was soll das all' noch werden?
A m a l i a. Der schöne Baum, unter dem wir so oft mit   25
ihm sassen, und er uns die halben Sommernächte beym
Mondschein mit der Harfe wegspielte!
A l t e r   G u e l f o. Ich suchte Hülfe bey Euch, und Ihr
machts schlimmer. Was ist Ihnen, Tochter?
K a m i l l a. Nichts, nichts!   30
A l t e r   G u e l f o. Ich fürchte, Guelfos Haus bedroht
grosses Unglück. Es sind fürchterliche Zeichen diese
Nacht geschehen. Der Wächter will die Todtenglocken
von den nächsten Klöstern her gehört haben. Man
trug Leichen an ihm vorbey, und schwarz verhüllte   35
Männer wehklagten durch den Sturm.
A m a l i a. Still! Kamilla wird bleich und todt.
A l t e r   G u e l f o. Tochter! Tochter! Was wird uns das

thun? Daß ichs auch erzählte! Kommen Sie zu sich! Vergessen Sies!

Kamilla. Mir ist nicht wohl. Es wird schon besser. Reden Sie was anders, Vater! Hat Ferdinando ein wildes Pferd?

Alter Guelfo. Nein, nein! O, so nah ists nicht! Ich lege das ganz anders aus. Seyn Sie munter! Amalia, sey munter!

Amalia. Wo ist der Ritter?

Alter Guelfo. Er ritt vor Sonnen Aufgang hinaus, der wilde Jäger Nimrod, mit Lanz und Schwerdt. Gott beßr' ihn, oder kehr' er nie wieder! Noch so eine Begebenheit, wie die gestrige, und ich streich' ihn aus! Er bringt uns alle um. Ich hab' eine Nacht gelebt – wenn ich noch so eine leben soll, will ich mich lieber auf die Galeeren schmieden lassen. Sein Zorn ist verflucht.

Amalia. Fluch Deinem Sohn nicht, Vater!

Kamilla. Lassen Sie sich nicht hinreissen! Der Ritter wird sanft werden und verträglich. Wir nehmens über uns.

Alter Guelfo. Steh Euch der Himmel bey! Ich seh nicht lange mehr zu. Ich hoffte, es sollte gut gehen. – Der Stallknecht sagte, er habe sich auf seinen tollen Türken geschwungen, mit dem Pferde wie mit seinem Freunde gesprochen, und die Thränen wären dem Thier auf die Mähnen gefallen. Aber gleich kehrte der wilde Guelfo zurück. Er fragt' ihn, ob er nichts an mich zu bestellen hätte? und er gab dem armen Kerl die Peitsche, daß er noch heult und wimmert.

Amalia. Denk nicht dran!

Alter Guelfo. Nu stille denn! die Sonne soll uns freudig finden an Ferdinandos Hochzeitstag. Ich hab grosse Gesellschaft bitten lassen, und keiner schlugs dem Guelfo ab. Diesen Abend will ich Euch Ball geben; und wer mir nicht lustig ist, der soll dem Guelfo und dem traurigen Grimaldi Gesellschaft leisten.

Amalia. Die werden dabey seyn, Guelfo!

Alter Guelfo. Ich zweifle.

Kamilla. Warum?

Dritter Auftritt.

Grimaldi. Vorige. (hernach) Bediente.

Grimaldi. Ist Guelfo noch nicht da? Wo ist Guelfo? Ha, Alter! wo ist Dein Sohn?

Alter Guelfo. Wo ist er? Wo ist er?

Grimaldi. Verflucht sey mein Schlaf! verflucht sey ich! Guelfo! Guelfo! Alter, ich will Dirs abzwingen, das Geheimniß! Wo bist Du mit dem Ritter hingekommen? Wo hast Du ihn hingeschaft?

Alter Guelfo. Wollen Sie die Weibsleute zu Tode ängstigen? 10

Grimaldi. Vater! Du hast den Guelfo ausgestossen! hast Dein bestes Kind ausgestossen! Wo ist er?

Alter Guelfo. Sind Sie wahnwitzig?

Grimaldi. Wär' ichs! von Sinnen und Verstand völlig! Wo ist Ferdinando? 15

Alter Guelfo. Ausgeritten – und er ausgeritten.

Grimaldi. *(fällt traurig auf einen Stuhl)* O Grimaldi! dein Guelfo! dein Freund!

Alter Guelfo. Weg von hier! Was? Wollen Sie uns hier alle den Todten ähnlich machen? 20

Grimaldi. Guelfo! Guelfo! Du brichst mirs Herz! *(ab.)*

Alter Guelfo. Er ist rasend worden.

Kamilla. Wenn ich nur fort könnte!

Amalia. Horch! horch! ein Pferd! 25

Kamilla. Ha, mein Ferdinando! Laßt mich ans Fenster, daß ich ihm ruf', ihm zuwink! *(ans Fenster)* Ein Pferd ohne Reuter jagt scheu herein. Ist das Ferdinandos Pferd? Vater, ists Deines Sohnes Pferd? – O geschwind! geschwind! 30

Amalia. Ists Ferdinandos Pferd? Willst Du nicht reden?

Alter Guelfo. *(ohne Antwort)*

Amalia. Er sagt nichts – Ferdinando! Ferdinando! 35

Kamilla. Hinaus! Ich will ihn aufsuchen – er ist gestürzt, er ist todt!

Alter Guelfo. Bleibt ruhig, ich will hinaus reiten. *(klingelt)*

Bediente *(kommen.)* 40

Alter Guelfo. Sattelt Pferde! sitzt auf!

Bediente. Unsers Herrn Pferd läuft ledig.

Alter Guelfo. Eilt euch! – Halt't Euch aufrecht,
Weiber! Wer weiß, was es ist!

Kamilla. Das Pferd sieht scheu. O Blut! Blut! am
Sattel! Guelfo, Deines Sohns Blut!

Amalia. Gott! Gott! – *(Sie sinken beyde am Fenster
nieder.)*

Alter Guelfo. Wollt Ihr mich umbringen? Wollt
Ihr mir allen Entschluß nehmen? Wenn Ihrs so fort-
treibt, kann ich nicht aus der Stelle. Der Schreck ist
mir in alle Glieder gefallen. Weiber! Weiber! *(will sie
aufrichten.)* Gott, der Allmächtige, heb' Euch auf! ich
bin zu schwach. *(ab)*

Amalia. Geh! geh! Schick eilends Boten zurück! –
Komm zu Dir, Tochter! es ist ihm nichts. Laß mich
nicht! O bey Deiner Liebe, bey Deinem Ferdinando,
verlaß mich nicht! Komm zu Dir! Erbarm Dich, zartes
Mädchen! – So! schlage Deine Augen auf! Wein' nicht!
– O ich danke Dir! – Sieh mich an!

Kamilla. Ist er noch nicht da?

Amalia. Ein Pferd!

Kamilla. Mein Ferdinando!

Amalia. Ritter Guelfo sprengt wütend herein. Stürz'
nicht! Ha! halt Dich! – Guelfo, wo ist Ferdinando?

Kamilla. Ruft ihm der Vater zu?

Amalia. Ja, ja. – Er lacht bitter. – Was weiß ichs!
sagt er.

Kamilla. *(aus dem Fenster)* Guelfo, wo ist er? –
Nicht so unfreundlich, Guelfo! – Wo ist Ferdinando?
Gib mir das Leben mit einer Antwort!

Amalia. Noch nicht? – Mein Sohn! – Er ist weg.

Kamilla. Er kömmt herauf. *(laufen nach der Thür.)*

Vierter Auftritt.

Ritter Guelfo. Kamilla. Amalia.

Guelfo. Hi! hi! was weiß ich! Bin ich Hüter Deines
Bräutigams, schönes Mädchen? Bin ich Hüter Deines
Sohns? – Hi! hi! Komm, Kamilla! schöne Kamilla!

setz Dich auf mit Ritter Guelfo durch die Welt! – He!
Kamilla, sieh nicht bleich! – Weg! rühr mich nicht an!
Wo ist Ferdinando? Hi! hi!

K a m i l l a. Ich laß' Sie nicht los.

A m a l i a. Halt ihn! wir wollens ihm abzwingen.

G u e l f o. Ich weiß nichts. Weg!

K a m i l l a. Ritter, ich dachte, Sie wären mir gut, und
nehmen mir das Leben.

G u e l f o. Gut Dir? Ey ja doch! ey ja doch! lieb, Du
sanfter Engel! Komm ich will Dich drücken und herzen! – Weg von mir! – Tausend Vergebung, schöne
Braut! – Gut? – Ja doch! ich bin Dir gut.

K a m i l l a. Wir wollen hinausfahren, ich halts nicht
länger aus. – O Ferdinando, Du lebst! Ein Strahl von
Hoffnung durchzittert meine Seele. *(Beyde ab.)*

G u e l f o. *(allein, nach einigem Schweigen)* Wo bin ich?
(kömmt vor den Spiegel) Rächer! Rächer mit flam-
mendem Schwerdt! Hast du eingegraben auf meine
Stirne den Mord? hast du ausgesprochen über mich,
daß die Himmel zitterten: Unstät und flüchtig! – Hast
du's? den Fluch noch nicht? und er brüllt um mich! –
Rächer! hi! hi! ist thats wohl! Kömmt er noch nicht,
mit glühender Hand den Mord einzugraben? – Ha!
ich kann mich nicht ansehen! Reiß dich aus dir, Guelfo!
(zerschlägt den Spiegel) zerschlage dich, Guelfo! – Guelfo! Guelfo! geh aus dir! Schaff' dich um! – Jetzt
will ich schlafen! O jetzt will ich sanft schlafen! Ferdinando ließ mich lange nicht schlafen, jetzt wird er
mich schlafen lassen. Ich will schlafen, Blutiger! und
wenn tausend brennende Dolche durch meine Seele
gingen. Gute Nacht, Guelfo! hi! hi! gute Nacht, Guelfo! *(wirft sich auf den Boden nieder.)*

Fünfter Auftritt.

Grimaldi. Guelfo.

G r i m a l d i. Bist Du da? Gott sey Dank! Wo ist Dein
Bruder?

G u e l f o. *(springt auf und Grimaldi sinkt zurück)* Was
störst Du mich im Schlaf? Weg! ich will den Schlaf

herzaubern. Ich muß, muß schlafen. Hinaus! *(faßt ihn an)*

Grimaldi. Mann mit diesem Würgblick, schone meiner, daß Du Dein Gewissen nicht beschwerest mit
5 Mord!

Guelfo. Mord? hi! Steh auf, Grimaldi! Mich deucht, Du bist's? – Sieh mich an! und wenn Du lügst, hol ich meine Lanze, und spieß' Dich! – Was steht auf meiner Stirne? *(wischt sich die Stirne mit Angst)* Ich wills til-
10 gen! herausbrennen!

Grimaldi. Guelfo!

Guelfo. Was steht auf meiner Stirne, Unglücklicher?

Grimaldi. Brudermord!

Guelfo. Ha! So will ich Dich zerstieben! die Winde
15 sollen Deine Asche davon wehen! – Brudermord? Schändlicher Lügner!

Grimaldi. Gott sey Dank, wenns anders ist!

Guelfo. Ha! Du Demüthiger! was dankst Du? Ich steh da, traue mein Haupt nicht zu heben zum Him-
20 mel. Die Sonne würde mich blenden, und der Rächer aus den Wolken Blitze senden, meine Seele zu vernichten, richtete ich meine Augen zu seinem Sitz. Stehts nicht auf meiner Stirne?

Grimaldi. Gefolterter Geist, Wuth und Verzweif-
25 lung.

Guelfo. Schäm' Dich, Betrunkner. Süsser, sanfter Schlaf hängt auf meinen Augenliedern, der mich einwiegte, wenn ihr alle gingt, die ihr so gräßlich um mich heult. Mir war nie so wohl. Und ich hab' ihn
30 doch ermordet, hab' ihn erschlagen, als er mir nicht geben wollte die Erstgeburt, als er mir nicht geben wollte das Weiblein; als er sagte: Ich bin Herzog, auch Du sollst steigen! – Ich hab' ihn gestreckt in Staub, als er bat um ein Gebet zum Rächer! – Er win-
35 selte und röchelte dumpf aus hohler, langsamer Brust. Ich habe meinen Feind erlegt, hab' der Schlange den Kopf im Staube zertreten! Er liegt! Als er lag, rief ich: Verflucht, die mich gebohren! schwung mich aus, und die Sonne verkroch sich. Wolken raubten ihr das
40 Licht, wie ichs dem Feinde stahl – Ich nahm Staub und warf ihn hinter mich mit seinem Gedächtniß! – Als er

schrie: Guelfo! Guelfo! fuhr mir ein Feuer durchs
Herz, daß ich ächzte. Wo ich hinseh', ziehts blutig um
mich, heult und winselt – mir ist wohl!

G r i m a l d i. Du hast den Bruder ermordet?

G u e l f o. Den Feind! *(stößt nach ihm)* den Dieb der   5
Erstgeburt! Ha! werden sie heulen, ihre Hände starr
zum Rächer erheben: Wehe! Wehe! – werden sie ihn
mit Thränen baden, wegschwemmen sein Blut – rufen:
Einziger, steh auf! – Aber stark ist Guelfos Faust!
Schrey mit! Ich will meine Ohren zustopfen, will mich   10
verschanzen hier vor Rache und Weh'! Wer mir nahe
kommt – hi!

G r i m a l d i. Flieh'! flieh'! Dein Anblick tödtet.

G u e l f o. Nein! Bleiben will ich, und sie quälen! Ich
will ihnen nach und nach das Herz zerreissen mit Flu- 15
chen! Grimaldi! Was faßt Du mich an so hart? was
drückst Du mich, daß Tropfen aus meinen Augen
springen?

G r i m a l d i. Ach Guelfo!

G u e l f o. Du hältst mich immer fester – Deine Hand   20
wird immer feuriger – Hast Du den Bund mit ihm
gemacht? Ist sein Geist in Dich gefahren? Ich will ihn
herausjagen noch einmal. So sah er aus – so, so! Wie er
an die Eiche sunk – rief: Bruder! – und wie ich in den
Wald lachte, daß es ins Echo pfiff! – Laß mich los!   25
was hältst Du mich? – Bist Du nicht Grimaldi, der mir
gut war?

G r i m a l d i. Guelfo, meine Stunde ist da. Wo Du ihn
erschlugst, sah' er gestern seinen Geist.

G u e l f o. Der Geist log nicht. – Jetzt will ich schlafen, 30
jetzt will ich mir Guts thun mit Schlafen! So lange
nicht geschlafen – werd ich einmal schlafen! *(legt sich
nieder)* Ha, Kain! kannst Du nicht schlafen? Wie sie
ächzen, den Todten mit Thränen salben, den Einzigen
mit Küssen zum Leben rufen! Heult! heult! heult!   35
Guelfo schläft ja. O laß mich schlafen, fünf Augenblicke nur! – Laß mich schlafen Einen Augenblick – o
denn nur einen halben! – – Ha, Grimaldi! Er faßte
die dicke Eiche, schlung sich drum herum, als wollt'
sein Leben halten – und ich riß ihm Eich' und Leben   40
aus der Hand, das er fest hielt! – Er sah nach mir mit

einem Blick, der so todt, bittend und voll Angst war –
schrie: Bruder! Bruder! Kamilla! – Die rief er zuletzt,
und das war gut. Da kriegt' er den Schlag! – Guelfo!
mußt' er Kamilla rufen? – – Ha! Schreckgeister! Guelfo schläft. – *(Der Vorhang fällt.)*

Ende des vierten Aufzuges.

Fünfter Aufzug.

Erster Auftritt.

(Ein düsteres Zimmer.)

*(Ferdinandos Leichnam liegt auf einem Bette, Amalia
und Kamilla netzen ihn mit Thränen, zu seinem Haupt
stehend. Der alte Guelfo steht in einiger Entfernung.
Stiller, heftiger Ausdruck des Schmerzes.)*

A l t e r G u e l f o. *(nach einer langen Pause)* Wollt Ihr
Leichen auf Leichen häufen? Weiber! Weiber! weg!
erbarmt Euch!

A m a l i a. Leichen auf Leichen, Vater! Ich will mit meinem Ferdinando gehen, das soll mir niemand wehren.
Ich will mich an seine blutigen Locken hängen, er wird
mich mitnehmen. Nimm mir diese runde Locken!
nimm mir sie, Alter! Meine Hände sind an den Todten
gewachsen. Meiner erbarmt er sich; nimm mir ihn!

A l t e r G u e l f o. So häuft Leichen auf Leichen, und
ich stehe im öden Haus verwaist, meine Kronen her-
untergerissen! Mein graues Haar in sein Blut getaucht,
steh ich allein! – Ha! so überschwemmt ihn mit Euren
Thränen, daß ich den Holden nie mehr erkenne! –
Weiber! Weiber! laßt den seligen Geist zur Ruh!

K a m i l l a. Bring' mich hier weg, Vater! Meine Hände
sind warm, meine Liebe heiß, und meine Thränen –
steh' auf, mein Ferdinando! Oh! wir Weiber wollen
sein Leben erwärmen! – Und sieh', seine blasse Wangen leben! Weile nicht, mein Bräutigam! Weile nicht!
die Braut harrt Deiner.

A m a l i a. Faß' ihn fest, und letz' ihn! – Ha! wenn ich
ihm über die Stirne streich', wenn ich seine blutigen
Locken um meine Hände winde, zuckt er nicht, und
sein grosses Aug' öfnet sich?

K a m i l l a. Horch! ich küßte seine Lippen – horch!
rufts nicht?

A m a l i a. Schlägt sein Herz nicht? Die Mutter er-
wärmts. Horch!

A l t e r G u e l f o. Wehe! Wehe! Verflucht die Hand,
die's that! Verflucht die Hand, die dem Greis den
Sohn, der Braut den Bräutigam erschlug! Wehe! Wehe!
Ich stehe da verwaist! Niemand erbarmt sich meiner,
da mein Bester erschlagen liegt.

A m a l i a. Der Liebe liegt nicht erschlagen. Braut, faß'
ihn! Unsre Liebe wird den Kalten erwecken. Er hat
uns noch kein Lebewohl gesagt – so geht Ferdinando
nicht.

A l t e r G u e l f o. Wehe! Wehe! Laßt den seligen Geist
zum Himmel, daß er den Mörder anklage, rufe Rache
und Weh! –

A m a l i a. Du willst mich von ihm reissen, mich, die ich
ihn gebar? – Ich gebar sie mit Angst; als ich sie
schreyen hörte, schwand alles. Ich hub die Knäblein auf,
dankte, benedeyte sie mit meinen Thränen. Laß mich
nun diesen benedeyen! meinen Sohn wiederrufen!

A l t e r G u e l f o. Ich will mich niederlegen, und sterben. Gott! Du hast mich zerschlagen! Du ließt den
Einzigen erschlagen, ließt ihn vom Bruder erschlagen!
Heiliger, rette mich! rette diese aus naher Verzweif-
lung! Vom Bruder erschlagen liegt er!

A m a l i a. Vom Bruder nicht erschlagen! Gott! nein! –
Ha! Du willst sagen, er thats! Du willst, daß ich die
Stunde verfluche, in welcher ich zwey rüstige Knaben
gebar?

A l t e r G u e l f o. Du sollst die Stunde der Geburt
verfluchen, die den Mörder brachte. Von ihm erschlagen liegt er! Kein Mensch auf Erden schlägt solche
Todeswunden als Guelfo.

A m a l i a. Nein! nicht! Mein Einziger und jetzt mein
Einziger thats nicht! Hat er nicht seine Mutter lieb?
und sollt' ihr den Geliebten erschlagen?

Alter Guelfo. Decke die Decke des Todes über
ihn! Er schlug ihn an der Stätte, wo er seinen Geist
aufsteigen sah'. – Riß der Hund des Erschlagenen
nicht ein Stück aus dem Gewand des Mörders? Ist
5 seine wütende Spur nicht in Boden eingedrückt? –
Decke die Decke des Todes über den Holden! Und
nun laß Deinen Guelfo kommen, dem Todten vor der
Stirne stehen, das Bekenntniß ablegen, den Mord ab-
schwören, die blutige Locke in der Hand, die Todes-
10 wunde betasten, aus welcher das friedliche Leben
quoll, aus welcher des Vaters Leben quoll! Laß ihn
kommen, und das thun!
Amalia. Er soll nicht kommen, den Erschlagenen zu
sehen. – Braut, bist Du dem Bräutigam gefolgt? läßt
15 die Mutter?
Kamilla. Mutter, leite mich zu ihm, daß sich an seinem Haupt meine Seele löse!
Alter Guelfo. *(deckt den Leichnam zu)* Guelfo!
Rache und Weh!
20 Amalia. Heil! Heil meinem Guelfo! meinem einzigen
Kinde von drey Lieben! Warum willst Du mir diesen
wegreissen? diesen hat der Tod gefressen; Du willst
grausamer seyn, und mir beyde aufzehren? Ha! was
soll der Dolch, der aus Deinem Busen blinkt? Ich will
25 Dir ihn entreissen, und diesem folgen!
Alter Guelfo. Weib! Weib! Nähm' sich der Herr
meiner nicht an, ich stieß mir ihn durchs Herz – ließ
Dich allein verzweiflen! – Ich leb' wegen Deiner,
Weib! Mein Herz ist mehr zerstossen, weil ich nicht
30 dicke Thränen weinen kann, wie Ihr.

Letzter Auftritt.

Ritter Guelfo. Vorige.

Guelfo. Warum laßt Ihr mich nicht in tiefem Schlaf
liegen? Was schreyt Ihr, was heult Ihr, die Hände ge-
35 hoben zum Rächer? Was zittert Gewinsel durchs Haus,
und zerreißt meine Seele?
Alter Guelfo. Mörder! Mörder, willst Du auch
uns erschlagen?

G u e l f o. Mörder Ihr! Ha!

A m a l i a. Guelfo, flieh! Du bist nicht Mörder! Deine
Hand ist nicht blutig! Ich häng' an Deinen Knieen, Du
bist nicht Mörder! Du hast ihn nicht erschlagen, hast
nicht!

G u e l f o. Wen erschlagen? Wer liegt erschlagen?

K a m i l l a. Du hast der Braut den Bräutigam erschlagen.

G u e l f o. Ich habe keinen erschlagen, weiß von keinem.

A l t e r G u e l f o. Wo ist Dein Bruder, Mann mit dem
Feuerblick? Du mit dem rollenden Auge der Ver-
zweiflung, wo ist Dein Bruder?

G u e l f o. Alter! ich hatte keinen Bruder.

A l t e r G u e l f o. Wo ist Ferdinando, Dein Bruder?
Ha, Giftiger! Schüttle Deine starren gehobnen Haare!
schüttle den Mord von Dir! Wo ist Ferdinando?

G u e l f o. Wer heischt von mir, Ferdinando zu hüten?
Hat ers verdient um mich? Ich hab ihn nicht gesehn,
mag ihn nicht gesehn haben, mag ihn ewig nicht sehn!

A l t e r G u e l f o. Hörst Du den Rächer, der im Wind
daher fährt, Dich wegen Mord und Meineyd zu stra-
fen? – Meine Kniee zittern –

G u e l f o. Komme der Rächer! ich weiß nichts.

A l t e r G u e l f o. Soll ich die Decke des Todes heben?
Weh' über Dich!

G u e l f o. Hebe die Decke des Todes und der Hölle!

A l t e r G u e l f o. Tritt herbey! – Hast Du nicht die-
sen erschlagen? *(hebt die Decke)* Hast Du nicht Vater,
Mutter, Braut erschlagen mit diesem? Lege Deine
Hände auf ihn! schwör!

G u e l f o. Ich lege meine Hände nicht auf diesen. Den
erschlug ich, der auf mich blickt mit starrem kalten
Auge, der seine blutigen Locken schüttelt und Tod.
Mit starker Faust erschlug ich ihn an der Eiche. –
Blick' auf mich, Blutiger! Blicke Tod! – Ha! ich reiß
ihn von mir, und aller Tod auf Dich! – Verflucht sey
er und Ihr! – Ich erschlug ihn, daß Ihr ihn mit Eurer
Liebe aufwecken mögt. Ha! habt Ihr keine Liebe, den
Einzigen zu erwecken? Verflucht Ihr und ich! Ich sang
ihm das Brautlied, kränzte den Bräutigam, sang, sang
– Fluch Euch!

A m a l i a. Erbarmen! Erbarmen! Fluch' der Mutter nicht!

A l t e r   G u e l f o. Fluchst Du dem Vater, da Du ihm den Besten erschlugst?

5 G u e l f o. Er hat mir die Erstgeburt gestohlen, hat mich verdorben und Ihr! Er hat mir diese gestohlen, die bleich da liegt. Ich erschlug ihn, da er mir das Meinige nicht geben wollte.

A l t e r   G u e l f o. Ich will Dein Gewissen nicht foltern
10 mit Entdeckungen Deiner Verblendung, von Gott Verfluchter! Geh mit Brudermord zur Hölle! Weh' über Dich!

A m a l i a. Erbarm Dich seiner, er mordet uns! Tod blickt aus ihm.

15 G u e l f o. Rufet Rache und Weh!

A m a l i a. Flieh', Guelfo! flieh! Ich will mich vor Dich stellen, Dein Schild seyn.

A l t e r   G u e l f o. Deine Spur sey ausgetilgt auf Erden! ausgetilgt hier! Verflucht!

20 A m a l i a. Decke die Decke des Todes! Der Blutige steigt auf.

G u e l f o. Steig' er auf! – Rächer! Rächer! – Ich hab' ausgeredet. *(verhüllt sich.)*

A l t e r   G u e l f o. Sang nicht der Schwan seinen Tod-
25 tensang? sah' in der Ferne seinen Geist aufsteigen, wo der Verfluchte den Scheitel des Gerechten schmetterte? Horcht' er nicht den Todtenruf an der Braut Seite und zitterte? – Du hast ausgesungen Dein Lied! Du hast verlassen Vater und Mutter im Jammer! Du liegst
30 erschlagen vom Bruder der Verdammung! – Gott erbarm' dich seiner! Gezeugt zum Fluch – Fluch! Fluch! Erbarm' dich seiner! Hier steht er verhüllt, bebt, Rächer, entgegen der Rache!

A m a l i a. Rächer, strafe die Mutter! schone hier und
35 dort!

A l t e r   G u e l f o. Ich stehe da, wie Adam, als ihm der Gerechte erschlagen ward. Eva heult, die Braut klagt, Kain flucht den Alten – – Rache und Weh! – – Gott! ich danke dir, daß du mein Gefühl starr machst, daß
40 du den Ermordeten jetzt aus meinem Herzen reißt mit dem Mörder – – *(zieht einen Dolch.)*

A m a l i a. Was willst Du?

A l t e r   G u e l f o. Weib! wenn er lebt, soll ihm der
Blutrichter das Haupt abschlagen vor Deinen Augen?
Soll er irren, doppelt verdammt, unstätt und flüchtig?
– sterben durch den Henker, Guelfos Sohn? – – Der   5
Blutige ruft Rache! – Rächen will ich Vater Guelfos
Sohn! erretten von der Schande Guelfos Sohn! leben
im Jammer verwaist – *(stößt ihn nieder.)*

Ende des fünften Aufzuges.

Nachwort

Wenn es stimmt, daß literarische Preisausschreiben und ihre Resultate ein bezeichnendes Licht auf den Geist oder doch die literarische Situation ihrer Zeit werfen können, so liegt dieser Gedanke ganz besonders nahe im Fall des 1775 vom Hamburger Theater ausgeschriebenen Dramen-Wettbewerbs, in dem Friedrich Maximilian Klingers Tragödie *Die Zwillinge* preisgekrönt wurde. Wohl lag den Veranstaltern des Preisausschreibens vor allem an der Bühnenfähigkeit des gesuchten »Originalstücks«, und zwar in doppelter Hinsicht: weder sollte es zu hohe Aufführungskosten und ein ungewöhnlich großes Personal erfordern noch sittlichen Anstoß erregen; aber die Wahl fiel auf ein Werk, das nicht allein diesen praktischen Ansprüchen genügte, sondern darüber hinaus seit der Erstaufführung als das Nonplusultra der Sturm-und-Drang-Mentalität und als einer der größten Triumphe der geniezeitlichen Selbstdarstellung angesehen wird. Was hier auf den Brettern erschien – die Premiere war am 23. Februar 1776 in Hamburg, und noch im gleichen Jahr druckte Friedrich Ludwig Schröder *Die Zwillinge* im ersten Band seines *Hamburgischen Theaters* –, wirkte wie der gestaltgewordene Inbegriff des Stürmens und Drängens der jungen Generation, die im Zorn auf ihre Zeit zurückblickte. Hemmungslos lebte sich hier der »große Kerl« aus – in seinen wortreichen Wutausbrüchen gegen die ihn ungerecht beengenden gesellschaftlichen Konventionen und Verhältnisse, in seinem Pochen auf das höhere Recht des Kraftmenschen und Genies, in seiner Berauschung am Mut plutarchischer Helden und schließlich in seinen desperaten Gewalttaten. »Ein Stück voll Kraft und, wie mirs scheint, Überkraft«, hatte Heinrich Christian Boie, der Initiator des Göttinger Hainbunds, am 10. Juni 1776 nach einer hannoverschen Aufführung an Friedrich Wilhelm Gotter geschrieben[1] und damit den Genies aus dem Herzen gesprochen. Kein Wunder, daß die Hauptgestalt, »dieser löwenstarke, raubtierwilde Guelfo [...] zum Liebling einer kraftsüchtigen, sich zurück-

---

1. Zitiert nach Max Rieger, *Klinger in der Sturm-und-Drang-Periode*. Darmstadt 1880, S. 105.

gesetzt fühlenden Jugend«[2] wurde. Und Klinger selbst hat sehr viel später, in einem Brief an seinen Verleger Nicolovius vom 10. Juni 1809 – mittlerweile war der beruflos schriftstellernde Sohn eines Frankfurter Konstablers und einer Wäscherin nach einem kurzen Intermezzo als Schauspieler und Theaterdichter der Seylerschen Theatertruppe Soldat geworden, zum hohen Offizier in russischen Diensten aufgestiegen, zum Leiter des Kadettenkorps des Zaren in St. Petersburg und zum Kurator der Universität Dorpat ernannt worden –, im Rückblick also hat Klinger die Deutung der *Zwillinge* im Sinne der Stürmer und Dränger bestätigt, als er schrieb, sein Drama gelte ihm »als Werk der Jugend Kraft, als wahrer Ausdruk der Leidenschaft«[3]. Und wohl darum wird er *Die Zwillinge* als einziges seiner Jugenddramen in die verschiedenen Sammelausgaben seiner Werke aufgenommen haben. Es scheint, daß er damit der Geniephase seiner menschlichen und literarischen Entwicklung, über die er dann kurz nachher, besonders seit der ihn innerlich festigenden Begegnung mit Goethe in Weimar 1776 und nach dem »Rückfall« in die geniale Zügellosigkeit seines Dramas *Sturm und Drang* (1776, ursprünglich *Wirrwarr*), entschieden hinauskam, ein Denkmal setzen wollte.

Spätere Deuter haben dann nicht versäumt, Denkmalschutz zu betreiben. Die Literaturgeschichten sprechen vom Ausdruk der Stärke des Gefühls und der elementaren Leidenschaft[4], vom psychologisch wenig verfeinerten, wenig problematischen, dafür um so kräftigeren Charakter[5], von der ungebrochenen Naturkraft, die für »das Privileg des körperlich Stärkeren und seelisch Urwüchsigeren gegen die gesellschaftliche Institution der gesetzlichen Erbfolge«[6] kämpfe, von der »von ihrem gesellschaftlichen Schicksal zurückge-

2. Ferdinand Josef Schneider, *Die deutsche Dichtung der Geniezeit*. Stuttgart 1952, S. 226 f.

3. Max Rieger, *Klinger in seiner Reife*. Darmstadt 1896, Briefbuch S. 127.

4. Richard Newald, *Von Klopstock bis zu Goethes Tod* (Geschichte der deutschen Literatur von H. de Boor und R. Newald, VI, 1). München 1957, S. 263.

5. Emil Ermatinger, *Deutsche Dichter, 1750–1900: Eine Geistesgeschichte in Lebensbildern*. Frankfurt a. M. u. Bonn 1961, S. 242 f.

6. Schneider S. 225.

setzten Kraftnatur«, in der »das natürliche Herrscherrecht des Starken« und das für Klingers geistesgeschichtliche Stunde »neue individualistische Gefühl« zum Ausbruch komme[7].

Zwei Motive deuten sich da an: die Kritik an den zeitgenössischen gesellschaftlichen Verhältnissen in Deutschland einerseits und die Verherrlichung des großen Menschen andererseits. Beide sind eng aufeinander bezogen: die Anklage der bestehenden gesellschaftlichen Situation und ihrer Konventionen erfordert als Ankläger den starken Einzelnen, der in diese Schemata nicht mehr hineinpaßt oder sich nicht mehr in sie einpassen will; umgekehrt braucht das große Individuum, um sich verwirklichen und ausdrücken zu können, sein rotes Tuch. Interessant ist es nun aber, zu beobachten, wie in den detaillierteren Einzelstudien diese komplementären Momente je nach dem politisch-geistigen Standort verschieden stark betont werden können. Für den marxistisch orientierten russischen und ostdeutschen Kritiker liest sich das Drama in erster Linie als unverschlüsselte Auflehnung gegen »die feudale Ordnung, [...] die feudale Ungleichheit«, die es nämlich hier dem außergewöhnlichen, zum Herrschen bestimmten Menschen verwehrt, seiner Bestimmung nachzukommen, indem sie festhält an der Konvention der Erbfolge, die den Erstgeborenen bevorzugt, ganz gleich, ob er dazu taugt oder nicht.[8] Ja, man stempelt das Originalgenie nicht nur zum klassenkämpferisch bewußten Proto-Marxisten, sondern sogar zum Bannerträger des spezifisch »bürgerlichen Protestes wider die feudalistische Moral«.[9] Guelfo ein bürgerlich gesinnter Mensch? Demokratische Tugenden des hemmungslos Herrschsüchtigen? Solchem Stutzen über eine denn doch ebenso genialische wie originelle geistesgeschichtliche Deutung des Impetus des Dramas setzt sich natürlich *die* Interpretation nicht aus, die sich eher auf den »großen Kerl« konzentriert und in den *Zwillingen* in erster Linie die Glorifizierung der kraftvollen Größe sieht. Aber in diesem entgegengesetzten Lager war es dann mit entsprechender An-

7. Hermann August Korff, *Geist der Goethezeit*, I. Leipzig [7]1964, S. 229 f.

8. Olga Smoljan, *Friedrich Maximilian Klinger: Leben und Werk*. Weimar 1962, S. 66 f.

9. Hans-Jürgen Geerdts (Hrsg.), *Klingers Werke in zwei Bänden*. Berlin u. Weimar [2]1964, I, S. 13.

strengung möglich, den italienischen Renaissance-Fürsten-
sohn als sozusagen protofaschistischen Führertypus und
deutschen Helden auf den Schild zu heben.[10] Wenn hingegen
in den Detailuntersuchungen die Kraftnatur weder nach der
einen noch nach der andern politischen Seite hin festgelegt
wird, läßt man sich – was läge näher? – von der Kenntnis der
allgemeinen Bestrebungen der Stürmer und Dränger leiten,
faßt die Hauptgestalt ins Auge und sieht darin eine Apologie des großen Tatmenschen und seiner Geniemoral: Heroi-
sierung selbst des großen Verbrechers, für den ein höheres
sittliches Empfinden verbindlich ist als das der alltäglichen
Moral, nämlich der Imperativ der seelischen Selbstverwirk-
lichung »nach der dem einzelnen als göttliche Bestimmung
mitgegebenen innern Gesetzmäßigkeit«. Diese Selbstverwirk-
lichung trägt folglich »ihre Rechtfertigung in sich selbst«.[11]
Guelfo erscheint dann als der ideale Genie-Typus; das Zwil-
lingsdrama als »die relativ reinste und intensivste Verwirk-
lichung des Sturm-und-Drang-Dramas«.[12]
Und warum auch nicht? Das Werk ist seinem Titel zum
Trotz ganz auf die Darstellung des *einen* großen Menschen
konzentriert. Guelfo beherrscht auch dort, wo er nicht auf
der Bühne erscheint, die Handlung in jeder Szene. Er ist
einer von jenen Dramenhelden, die nach Lenzens, von
Shakespeare inspirierter Poetik des geniezeitlichen tragischen
Dramas Schlüssel ihres Schicksals, Schöpfer ihrer Begeben-
heiten sind. Die anderen Figuren sind kaum mehr als
menschliche Kulisse, Folie, die die einzigartige eruptiv kraft-
und leidenschaftsvolle Individualität Guelfos nur um so besser ins Licht treten läßt. Sie geben ihm die Stichwörter, die
Gelegenheit zur Selbstaussprache und Selbstdarstellung, ge-
legentlich (im Falle Grimaldis, dieses Jago mit hamletisch-
wertherischen Zügen) auch Anstoß und Ermutigung zur
entscheidenden Tat. Im Grunde sind *Die Zwillinge* ein See-
lendrama mit maximaler Hochspannung und maximaler Ent-

10. Heinz Hubert Saddeler, *Die Muttergestalt im Drama des Sturmes
und Dranges*. Diss. Münster 1938, S. 65–67 u. 34–40.
11. Otto Alfred Palitzsch, *Erlebnisgehalt und Formproblem in Friedrich
Maximilian Klingers Jugenddramen*. Dortmund 1925, S. 48.
12. Kurt May, *Die Struktur des Dramas im Sturm und Drang, an
Klingers ›Zwillingen‹*. In: K. M., Form und Bedeutung, Stuttgart 1957,
S. 43.

ladung der Emotionen. Nicht zufällig sind ja alle eigent-
lichen Handlungs- und Geschehensmotive zwischen die Akte
verbannt: besonders die tätliche Auseinandersetzung mit
dem Vater und die Ermordung des Bruders. »Handlung«
spielt sich vorwiegend in Guelfo selbst ab; sie ist sein see-
lisches Auf und Ab, sein »innerer Kampf von Leidenschaften«[13]. Die ersten drei Akte besonders sind kaum etwas an-
derem als der Darstellung seines Charakters gewidmet, der
sein (nicht dargestelltes) radikales Handeln plausibel macht.
Und was nach dem Brudermord, in den beiden letzten Ak-
ten, sichtbar wird, ist ebenfalls Auswirkung des von vorn-
herein entwickelten Charakters, dessen chaotische Triebhaf-
tigkeit nun »verlöscht«, wie es Klinger einmal als Beobachter
seiner selbst formuliert hat (an Schumann, Febr. 1775).
Warum sollte auch gerade Klinger, der dreiundzwanzig-
jährige Ex-Student, der bereits kurz zuvor in seinem ersten
Drama, dem 1774 geschriebenen Ritterstück *Otto*, der kraftgenialischen Geste der Sturm-und-Drang-Generation Ausdruck verliehen hatte, nicht dramatisch vergegenwärtigen,
was in seiner Generation, jener literarhistorisch epoche-
machend gewordenen Generation der um die Jahrhundert-
mitte Geborenen, lebendig war: den leidenschaftlichen
Lebens- und Tatendrang? Denn daß der auch Geist von
seinem Geist war, geben ja die Briefe aus dieser Zeit zu
erkennen. Den kraftgenialischen Ton hören wir auch hier:
»Mich zerreißen Leidenschaften, die dir unbekannt sind«,
schreibt er im Februar 1775 an seinen Freund Schumann,
»[...] Jeden Andern müßte es niederschmeißen. [...]
Ich möchte jeden Augenblick das Menschengeschlecht und
Alles, was wimmelt und lebt, dem Chaos zu fressen geben,
und mich nachstürzen«[14]. Und Pfingsten 1776 an Philipp
Christoph Kayser: »Du must wohl wenn du nur denkst was
vor Leidenschaften auf und absteigen in diesem wilden Her-
zen.«[15] Aber diese Briefstellen lassen nun zugleich (wie Kurt
May als erster bemerkt hat)[16] etwas anderes zutage treten:

13. Gotthold Ephraim Lessing, *Fabeln. Abhandlungen über die Fabel.*
Stuttgart 1967 (Reclams Universal-Bibliothek Nr. 27/28). S. 89.
14. Rieger (s. o. Anm. 1) S. 373.
15. Ebda. S. 383.
16. Kurt May, *F. M. Klingers Sturm und Drang.* Deutsche Vierteljahrs-
schrift XI (1933) S. 398–407.

Klingers eigene Distanz zu den beschriebenen Gemützzu-
ständen. An der ersten der zitierten Stellen heißt es nämlich
gleich weiter: »Doch laß es, ich weiß auch dies verlöscht,
und dann lach ich«. Ein wissendes Abstandnehmen von sich
selbst deutet sich hier an, das es uns unwahrscheinlich werden läßt, daß der Schreiber dieser Zeilen wenige Monate
später in völlig abstandloser, bekenntnishafter Weise eine
große Leidenschaft zum Thema seines Dramas wählt. Daß
das dichterische Produzieren bei diesem von seinen chaoti-
schen Leidenschaften geschüttelten Menschen vielmehr eine
ganz andere Funktion als die des Bekenntnisses habe, ist aus
dem Nachsatz zu der zweiten zitierten Briefstelle zu ent-
nehmen: »Die Poesie ist warrlich eine Wohlthat für mich
und große Entschädigung, daß ich all das hinschmeißen
kann«. Klinger scheint Bescheid zu wissen über die therapeutische Funktion seines Schreibens, ähnlich wie der junge
Goethe am 7. März 1775 zu Auguste zu Stolberg äußerte, er
ginge zugrunde, »wenn ich jetzt nicht Dramas schriebe«.[17]
Wenn das jedoch der Fall ist, und es spricht nichts gegen
diese Annahme, so will es auch nicht mehr recht überzeugen,
daß Klinger in den Zwillingen, in Guelfo, unbedingt sein
Idealbild des jugendlichen Genies dargestellt haben soll.
Was das Deutsche Museum im Jahre der Uraufführung und
des Drucks der Zwillinge in einem Aufsatz über das »Göthi-
sieren« der Genies bemerkt, daß nämlich für sie »das Ideal
der Dichtkunst [...] der leidenschaftliche Mensch«[18] sei, trifft
zwar auf das Klingersche, im Sinne der Zeit »goethisie-
rende« Trauerspiel durchaus noch zu; aber zweifelhaft wird,
daß dieser leidenschaftliche Mensch, wie das Deutsche
Museum den Satz gemeint hatte, nun seinerseits selbst noch
das Ideal ist. Wenn das Dichten therapeutische Funktion
hat, ist es dann nicht umgekehrt wahrscheinlicher, daß der
Autor zugleich Kritik übt an dem ihm so ähnlichen Menschen, dessen Darstellung ihm ein solches erleichterndes Abreagieren der eigenen Emotionen erlaubt? Ist es dann nicht
plausibler, daß er die problematischen, ja: pathologischen
Seiten willentlich oder unwillentlich mindestens ebenso stark
akzentuiert wie die idealen, vorbildlichen? Wir wissen ja,

17. Weimarer Ausgabe, 4. Abt., II, S. 242.
18. 1776, S. 1049.

daß sich Klinger noch in seiner Sturm-und-Drang-Zeit bemüht, über seinen eigenen Sturm und Drang hinauszukommen, Herr seiner selbst, seiner immer wieder erwähnten Zügellosigkeit zu werden. Schon im Sommer 1774, ein Jahr vor der Abfassung der *Zwillinge*, schreibt er Kayser einen Brief, in dem er dem seelisch aus dem Gleichgewicht geratenen Freund zu Geduld, Mäßigung, Besonnenheit und bewußter Selbstbestimmung rät.[19] Zwar ist das *auch* eine pädagogische Rolle, die Klinger hier annimmt; ihm selbst fehlt gewiß zu diesem Zeitpunkt noch die distanziert besonnene Abgeklärtheit, zu der er den Leidenden führen möchte. Aber das ist darum für ihn keine verlogene Haltung, eher die, die er sich selbst zu verwirklichen bemüht. Als er 1776 in Goethes Weimarer Kreis kommt, sprechen seine Briefe dieses Verlangen denn auch immer wieder auf das klarste aus. Hier ist »Balsam« für ihn, hier werde er »ruhig« werden usw.[20] Soldat zu werden reizt ihn, weil der Soldatenstand der einzige sei, »wobey man Force des Geistes und Stärke des Charakters behalten« könne.[21] »Alles schien er weniger zu achten als die Festigkeit und Beharrlichkeit«, notiert Goethe rückblickend in *Dichtung und Wahrheit*.[22] Mit einem Wort: das Streben nach Distanz zum eigenen Stürmen und Drängen spricht aus allen diesen Zeugnissen.

Nun ist es den meisten Deutern der *Zwillinge* schwergefallen, sich die Distanz des jungen Klinger zu eigen zu machen und die Dichtung aus ihr zu sehen. (Es geht ihnen da wie dem älteren Klinger selbst, der in dem Guelfo-Drama ein »Werk der Jugend Kraft« und den »wahren Ausdruk der Leidenschaft« erkennen zu können glaubte.) Verdächtig sollte dabei aber schon der Umstand sein, daß dieses vom Thema her, wie es scheint, so stark von der Leidenschaft bestimmte Stück doch eine außerordentlich formstrenge, klassisch beherrschte Komposition zur Schau trägt. Die Einheiten (Ort, Zeit, Handlung) sind gewahrt; totes Holz, Episoden, blinde Motive gibt es nicht oder kaum; die inneren und äußeren Geschehnisse sind in einen zügigen Ablauf verkettet; Symbolik und Atmosphäre sind mit kunst-

19. Rieger (s. o. Anm. 1) S. 371.

20. Ebda. S. 386–389.

21. Ebda. S. 394. 30. Juni 1776.

22. Hamburger Ausgabe, X, S. 12.

bewußter Präzision eingesetzt; klassisch ist schließlich die Personenarmut (es erscheinen sieben handelnde Personen; »warum nicht etwa sieben Personen?« wird später August Wilhelm Schlegel in seiner Entrüstung über die tradierten Kompositionserfordernisse des klassischen tragischen Dramas ausrufen![23])

Paßt zu derart bewußter Gestaltung die Verherrlichung des schrankenlosen Genies und seiner rücksichtslosen Moral? Gottfried August Bürger meinte, Guelfo sei im Gegenteil eher als geistig-seelisch defekt dargestellt: »Von Lisboa bis zum kalten Oby, wie Ramler singt, ist außer dem Tollhause kein solcher Character«, schrieb er 1780 an Lichtenberg.[24] Bis in die jüngste Gegenwart hat sich aber kaum ein Deutscher solche Unabhängigkeit des Urteils erlaubt und gewagt, etwas Fragwürdiges in diesem Kraftgenie zu sehen. Wie gebannt starrte man auf den durch seine Intensität gerechtfertigten Ausdruck eines Lebensgefühls, mit dem die »Deutsche Bewegung« ihren Anfang nahm. Eine frühe französische, eine spätere englische Stimme drangen nicht durch.[25] Im Gegenteil, man verwahrte sich gegen die Unterstellung, Klinger habe bedenkliche oder gar pathologische Züge im Genie betont, um sich auf diese Weise selbst von der Präponderanz geniezeitlichen Fühlens zu befreien.[26] Erst in neuester Zeit, seit dem letzten Krieg, bricht man allmählich mit der Orthodoxie. Natürlich ist es möglich, dabei in eine entgegengesetzte Orthodoxie zu verfallen. Und es ist interessant zu sehen, wie das geschehen kann: Wenn nämlich von der Position der auf das Thema der Gesellschaftskritik eingestellten marxistisch orientierten Literaturbetrachtung aus wahrgenommen wird, daß Guelfo, der vermeintliche Idealtyp des Sturm-und-Drang, auch seine Schattenseiten hat – unkontrolliert exzessive Reaktionen wie das Auspeitschen des Pächters, der in seinen Waldungen ein Stück Wild ge-

23. *Sämmtliche Werke.* Hrsg. von Eduard Böcking, Leipzig 1846/47, VI, S. 27.
24. *Briefe von und an Gottfried August Bürger.* Hrsg. von Adolf Strodtmann, III, Berlin 1874, S. 1.
25. Edmond Vermeil, *Le Simsone Grisaldo de F. M. Klinger.* Diss. Paris 1913, S. 47 u. 189 f. – H. B. Garland, *The German Storm and Stress.* London 1952, S. 79 f.
26. Palitzsch (s. o. Anm. 11) S. 48.

:aubt hat –, dann ergibt sich dort sogleich auch die Not-
wendigkeit, diesen Sachverhalt so zu erklären, daß die
Hauptgestalt nicht nur ein Opfer der angefeindeten Feudal-
ordnung sei, sondern auch ihr typisches Produkt; Guelfos
Erbarmungslosigkeit ist dann ein durch die feudale Verhältnisse erzeugter oder mindestens geförderter Charakter-
zug.[27] Wird dann aber nicht der von dieser Position so ener-
gisch behauptete Kampf gegen eben jene Gesellschaftsord-
nung äußerst zwiespältig, ironisch und paradox? Und vor
allem: Ist denn in den *Zwillingen* die feudale Welt wirklich
in der bezeichneten Weise dargestellt, als »grausam« und
»erbarmungslos«? In Schillers »bürgerlichem Trauerspiel«
Kabale und Liebe besteht diese erstaunliche Entsprechung in
der Haltung der Vertreter der angefeindeten ständischen
Ordnung sowohl wie ihres Gegners, Ferdinands, tatsächlich:
ein selbstherrlich-rücksichtsloses Verfügen über den Mit-
menschen hier wie dort. In den *Zwillingen* hingegen geben
sich die Vertreter der von Guelfo bekämpften etablierten
Welt und ihrer Ordnungen doch eher betont human, menschlich verstehend, besten Willens besonders Guelfo selbst
gegenüber. So will es eher scheinen, als sei seine blind be-
sessene Anklage jener Welt mehr in einer monomanen
Wahnvorstellung begründet, die ihm die wahre Wirklichkeit
seiner menschlichen Umgebung in schon pathologischer Weise
verzerrt. Ist es ein Zufall, daß ihm in solchen Situationen
wiederholt entgegengehalten wird, er sei »krank«, sein Hirn
sei »zerrüttet«? Guelfo *will* ja geradezu gehaßt werden
(I, 4; II, 5; III, 1).
Wie gesagt: die nicht-deutsche Literaturkritik hat die nötige
Distanz aufgebracht, diesen im Stück selbst gegebenen Kom-
mentar als Interpretationshinweis ernstzunehmen, die deutsche nur sehr vereinzelt in allerneuster Zeit. Aber worin
besteht denn nun genauer diese Krankheit der »helden-
haften«[28] Sturm-und-Drang-Natur? Mit anderen Worten:
welches sind die Charakterzüge, die uns vermuten lassen
können, Klinger habe schon in der Gestaltung selbst Kritik
geübt an der Figur, die sich in der Nahsicht so lange als un-
komplizierter zeittypischer »großer Kerl« ausnahm? »Psy-

27. Smoljan (s. o. Anm. 8) S. 67.
28. Rieger (s. o. Anm. 1) S. 90.

chologisches Detail« hatte schon Otto Ludwig an den *Zwillingen* gerühmt[29] – aber welches kommt hier in Betracht?
Vom haltlosen Individualismus, der sich selbst nicht mehr in der Hand hat, hat man schon früh gesprochen[30], dann auch vom pathologischen Umschlag des Machtwillens in Neid, Bosheit und krankhafte Wut[31], von einer Variation des »großen Kerls« ins Psychopathologische[32], ja: von pervertierter Eitelkeit des verwöhnten und unausgeglichenen Kindes mit der Kraft des Erwachsenen[33], von kindlichem Trotz schließlich, von der tieferen Entschlußlosigkeit des Triebmenschen, der zur Tat jeweils erst aus seiner Dumpfheit geweckt werden muß[34].
Die Infantilität scheint das wesentlichste, zugleich übergreifende Moment zu sein.[34a] Was Grimaldi »starken Geist« nennt, bekommt so den Oberton einer erratischen Impulsivität. Der Held, der sich mit plutarchischer Heldenverehrung und der stolzen Erinnerung an seine eigenen Gewalttaten und Wutanfälle immer wieder aufputschen muß, gerät in Verdacht, haltloses Opfer seiner eigenen destruktiven Impulse zu sein. In unbeabsichtigt hintersinniger Weise stimmt es wirklich, was Guelfo am Ende des zweiten Aktes von sich sagt: er könne nicht »vorhersagen«, was er tun werde. Und was er gleich in der ersten Szene zu Grimaldi bemerkt, trifft auf ihn selbst zu: »Grimaldi, Dein Herz liegt mir über verschiedne Punkte verdeckt. Aber herausreissen will ichs, wies in Deinem Innern liegt. Aufgedeckt will ich lesen, ob da blosse Racketten sind, die nur manchmal beym Wein aufsteigen, und zerknallen; oder ob das Festigkeit, Grösse und Entschluß ist?« Festigkeit ist es nicht bei Guelfo, Besessenheit schon eher. Die meint er, wenn er in der ersten Szene des dritten Aufzuges von seinem »bösen Geist« spricht, der ihn

29. Otto Ludwig, *Nachlaßschriften*. Hrsg. von Moritz Heydrich, II Leipzig 1874, S. 32.
30. Vermeil (s. o. Anm. 25) S. 47 u. 189 f.
31. Roy Pascal, *Der Sturm und Drang*. Stuttgart 1963, S. 177 f.
32. Werner Kliess, *Sturm und Drang*. Velber bei Hannover 1966, S. 84 f.
33. Garland (s. o. Anm. 25) S. 79 f.
34. Christoph Hering, *Friedrich Maximilian Klinger. Der Weltmann als Dichter*. Berlin 1966, S. 71–73.
34a. Dazu neuerdings Johan Pieter Snapper, *The Solitary Player in Klinger's Early Dramas*. Germanic Review XLV (1970) S. 83–93, bes. S. 86 u. 92.

verfolge, nüchterner: von seinen Wahnvorstellungen, seinem gestörten Wirklichkeitsverhältnis. Merkwürdig auch, daß er auf seine eigene Stärke pochen muß, im gleichen Atemzug aber nicht ohne Wehleidigkeit davon redet, daß man ihn, den Starken, bei der Geburt schon »niedergeschlagen« habe (I, 3).

Der »große Kerl« als Opfer seiner eigenen unberechenbaren, unkontrollierten Impulsivität – Beispiele dafür werden gleich in der ersten Szene berichtet. Grimaldi warf er zu Boden, daß ihm die »Gebeine zusammen rasselten«, weil er ihn in der Übereilung für jemand anders hielt. Den Della Forza »knallt'« er aus geringfügigem Anlaß nieder. »Die Geschichte that mir damals sehr gut. Sie wickelte mir die Galle los, die mich nach und nach erwürgt hätte«. Aus seiner turbulenten Kindheit erinnert sich Guelfo in der nächsten Szene: er habe seinen Bruder Ferdinando um ein Pferd beneidet; Ferdinando habe es ihm nach einem verunglückten Reitversuch geschenkt. »Aber nieder stieß ich den flüchtigen Springer im Grimm«. Ist der Guelfo, der auf der Bühne erscheint, nicht immer noch dieses Kind? Zwei Auftritte weiter der Beweis: die schon erwähnte Geschichte mit dem Pächter, den er dafür zuschanden geschlagen hat, daß er in seinen Forsten »das schönste Reh« »stahl«. Und als Antwort auf die verlangte Rechenschaft sofort noch ein solcher impulsiver Akt: er zerreißt die Urkunde, die ihm einen Teil des väterlichen Besitzes überschreibt. – »Niederschiessen will ich sie und ihn!« schreit er im fünften Auftritt. Er meint seinen Vater und einen Zug Apfelschimmel, die der Vater nicht ihm, sondern dem Bruder als Erbteil zugedacht hat. Die Situation, die soeben noch aus der Jugend berichtet wurde, wiederholt sich also, und in III, 2 wiederholt sie sich noch einmal. Die Wiederholung deutet darauf hin, daß der »große Kerl« vielleicht eher ein großes Kind sei. »Siehst Du, wie das, was das Kind dachte, der Mann ausführte?« sagt Guelfo selbst über den noch nicht verübten Brudermord (III, 1). Auf Guelfos impulsive Gewalttätigkeit spielt wohl auch der alte Guelfo an, wenn er kurz vorher mit Besorgnis erwähnt, sein Sohn werde immer »unbändiger«. »Er liegt immer im Walde, badet seine Hände in der armen Thiere Blut« (II, 2). Eine weitere, durch kleinsten Anlaß hervorgerufene Gewalttätigkeit (gegenüber seinem Reitknecht) wird schließlich noch in IV, 2 berichtet.

Übrigens richtet sich Guelfos destruktive Hemmungslosigkei
auch gegen ihn selbst: »Kamilla! *(faßt sie an der Hand)* Ach
und ich bin wieder so hin – ich möchte diese Feuerwolker
zusammenpacken, Sturm und Wetter erregen, und mich zer
schmettert in den Abgrund stürzen! – Kamilla! Kamilla
Kamilla! *(küßt sie heftig.)*« (II, 5)[35]. Die deutlichste Sprache
spricht aber der Ausgang des ersten Auftritts des zweiten Aktes. Guelfo sieht aus dem Fenster seinen Bruder und Kamilla
die dieser ihm abspenstig gemacht hat, mit den erwähnter
Apfelschimmeln in den Hof einfahren. Er kocht vor Wut
nun aber charakteristisch: »Grimaldi! Grimaldi! Laß mich
was thun! Ich will eine Pistole losschiessen – ich muß so wa
hören! Mein Herz heischts! – G r i m a l d i. In die Luf
doch? – G u e l f o. Heyda! – Wart! nach der Wasserseite –
(schießt zum andern Fenster hinaus) Hi! Hi!« Das ist wieder
die Reaktion des »o ich will alles zerreissen« (I, 2). Doch e
könnte nicht deutlicher dargestellt werden, daß die trieb-
hafte Reaktion statt zweckvoll gradezu absurd ist, ein bloße
Abreagieren: Er schießt zum andern Fenster hinaus, um sich
Luft zu machen, unfähig, Tun und Absicht zu koordinieren
Das Problematische des Kain redivivus verdichtet sich in
diesem Handlungsmoment aufs eindringlichste. Nicht verwunderlich, daß der Vater den andern Sohn für »reifer«
hält (I, 4). Nicht verwunderlich auch, daß der Schluß des
Trauerspiels dann durch die völlige seelische Erschöpfung,
durch die Apathie des Brudermörders herbeigeführt werden
kann. Der »große Kerl« wird durch solche »psychologische
Details«, die schon Otto Ludwig lobte, aber nicht näher be-
zeichnete, ins Zwielicht des Problematischen gerückt.
Wenn man also einen oder den Höhepunkt der Selbstdarstellung des Sturm und Drang in den *Zwillingen* sieht, dann
auch in dem Sinne, daß an der Gestaltung bereits das kühl
beobachtende Wissen dessen beteiligt ist, der im Begriff
steht, das Genie-Ideal mit einem schmerzlichen, aber noch
keineswegs selbstsicher-überlegenen »gewogen und zu leicht
befunden« hinter sich zu lassen. Eben deswegen aber ist dieses Trauerspiel ein um so wertvolleres, ein menschlich um so
aufschlußreicheres Zeugnis der deutschen Geistesgeschichte
der Geniezeit. Noch im Medium des geniezeitlichen Aus-

---

35. Vgl. den oben S. 71 zitierten Brief an Schumann.

drucks selbst wird hier die kritische Abkehr von geniezeitlichem Verhalten präfiguriert, die deutlich sichtbar und konsequent bereits in dem Jahr einsetzt, in dem *Die Zwillinge* uraufgeführt werden. Schon in diesem Drama, das so lange als Inbegriff des Stürmens und Drängens gegolten hat, macht sich also unter der Oberfläche des bloßen »Wütens, Stampfens, Schnaubens, Aufsteigens, Wildsehens, des Zukkens, Brüllens, Heulens«, das man üblicherweise als das »Wesentliche« mißverstanden hat[36], jenes Bemühen um »Festigkeit« und »Stärke des Charakters« bemerkbar, die Klinger als menschlicher und literarischer Gesamterscheinung das Gepräge gibt und seine dichtungsgeschichtliche Bedeutung bestimmt[37].

---

36. Hans Berendt und Kurt Wolff (Hrsg.), *Friedrich Maximilian Klingers dramatische Jugendwerke.* Leipzig 1912, I, S. XX (Berendt).

37. Ansgar Hillachs erstaunliche Auffassung, Klingers Abkehr vom eigenen Sturm und Drang geschehe erst mit *Simsone Grisaldo* und *Sturm und Drang* und dann nicht im Zeichen der Reife und des Maßes, sondern im Sinne einer Flucht vor unbewältigten Problemen, bedürfte einiger Begründung, um überhaupt diskutabel zu werden (*Klingers Sturm und Drang im Lichte eines frühen, unveröffentlichten Briefes,* Jahrbuch des Freien Deutschen Hochstifts, Tübingen 1968. S. 34). – In grundsätzlicher Übereinstimmung weiß ich mich hingegen mit Michael Mann, der Guelfo als Zeugnis für das »frühe Altern des Genieglaubens« versteht (*Die feindlichen Brüder*, Germanisch-Romanische Monatsschrift, N. F. XVII (1968) S. 238).

Zitiert wurde nach der in Anm. 36 genannten Ausgabe.

Dramen des Sturm und Drang

IN RECLAMS UNIVERSAL-BIBLIOTHEK

PHILIPP RECLAM JUN. STUTTGART